TAÍNA

ERNESTO QUIÑONEZ
TAÍNA

Ernesto Quiñonez nació en Ecuador, pero llegó a la ciudad de Nueva York a los dieciocho meses con su madre puertorriqueña, su padre ecuatoriano y sus cuatro hermanos. Creció en El Barrio, un vecindario latino ubicado en Harlem. Actualmente es profesor en la Universidad Cornell, donde enseña escritura narrativa. Quiñonez también es el autor de *El vendedor de sueños* y *El fuego de Changó*.

TAÍNA

UNA NOVELA

ERNESTO QUIÑONEZ

Traducción de Eva Ibarzábal

VINTAGE ESPAÑOL

UNA DIVISIÓN DE PENGUIN RANDOM HOUSE LLC

NUEVA YORK

Scarlet

Verso 1

CUANDO TAÍNA FLORES quedó embarazada a los quince años, alegó que quizás algún *ángel* había entrado en su proyecto: tomó el ascensor, marcó su piso, se bajó y abandonó su cuerpo para poder entrar flotando cual neblina por debajo de la puerta de su dormitorio. Los ancianos del Salón del Reino de los testigos de Jehová interrogaron a la madre de Taína, la hermana Flores, y esta juró que su hija nunca había estado con ningún hombre; que ella le había enseñado que: "Si es macho, puede". La hermana Flores dijo que ella no le quitaba el ojo de encima a su hija y que estaba segura de que Taína ni siquiera se masturbaba. Esta respuesta provocó que los ancianos se sintieran incómodos. Se retorcieron en sus asientos; si bien eso era un pecado, no podría haber embarazado a Taína. Los ancianos preguntaron sobre el ciclo menstrual de Taína: ¿era regular?, ¿se atrasaba?, ¿variaba?, ¿qué tipo de toalla sanitaria usaba, la adhesiva o la que se introducía y tenía la forma del miembro del hombre?

A estas alturas, ya Taína se había quedado sin aliento y era su madre quien contestaba todas las preguntas.

El "juicio" duró semanas. Cada domingo, al terminar el servicio, las dos mujeres eran convocadas por los ancianos a un cuarto frío. A pesar de la vergüenza de saber que toda la congregación se reía a sus espaldas, la hermana Flores se mantenía firme defendiendo la versión de su hija. Los ancianos sugirieron llevar a Taína al hospital metropolitano, no por el bien de su salud, sino para confirmar que ya no era virgen. Sin embargo, Taína y la hermana Flores se negaron; una y otra vez se negaron.

—Dios sabe que he dicho la verdad —juraba la hermana Flores.

Los ancianos no tuvieron otra opción más que expulsarlas a ambas de "La Verdad".

Después de eso, las dos mujeres raras veces eran vistas en El Barrio. Nunca hablaban mucho, ni entre ellas ni con los demás. Caminaban por la calle tomadas de la mano, la madre agarrando a la hija, y solo hacían las visitas de rigor al supermercado y a buscar los beneficios del *welfare* al Check-O-Matic. Nunca habían ido a un cine, al salón de belleza o a una cafetería. Vivían en un universo formado por ellas dos y ni siquiera las multitudes parecían capaces de alterarlas. Ni los chicos de la esquina pitándole a Taína: "Mira, ¿to' eso es tuyo?". Ni el chisme de las mujeres en la lavandería, cuyo veneno iba dirigido a Doña Flores: "Las perras cuidan a sus hijas mejor que esa".

En la escuela, Taína se sentaba sola y se perdía entre un mar de adolescentes. Nunca se preocupó por la ropa, el maquillaje, la popularidad ni nada de eso. Al igual que su madre, sonreía cuando le sonreían, pero ni chistaba, como si su sonrisa dijera que no eras su enemigo, pero tampoco le interesaba tu amistad. Les agradaba a los muchachos, todos se enamoraban de ella, pero pronto perdían el interés cuando ella se quedaba mirando las paredes o cualquier otra cosa frente a ella, como si su interlocutor no existiera. Los muchachos decían que era una creída. Me preguntaba si Taína sabía lo hermosa que era. No es fácil saber si eres hermosa. Me preguntaba qué otras cosas no sabría. ¿Sabría que tenía el don de la voz? Yo había oído decir que cantaba precioso, que había entrado en el coro de la escuela, que cuando cantaba el solo a todos se les ponía la piel de gallina. En su voz estaba el origen mismo de la música. Comienza con un llanto, con un gemido como de recién nacido. Entonces el gemido gira, cambia, te cala la piel y ahoga todo tu dolor. En su voz, según decía la Srta. Cahill, la maestra de ciencias, todos podían ver a quienes amaban y a quienes correspondían a su amor; podían sentir a sus seres queridos, percibir sus olores. Decía que la voz de Taína se entrelazaba con el tejido de sus ropas y, durante semanas, sin importar cuántas veces las lavaran o cuánto detergente usaran, seguirían resonando. Su voz también quedaba atrapada y se impregnaba en cada hebra de sus cabellos; se podía oler su voz durante días como si fuera humo de cigarrillo. Decía que una niña negra había llorado y le había dicho ese día a Taína: "Echaste el resto, cariño. Era como estar en la iglesia". Eso es lo que oí. Y eso era lo que yo quería. Quería ese sonido, esa voz, para poder oír el amor. Un sonido por el que alguien espera toda su vida. Quería oírla cantar. Quería ver quién me amaba. Pero todo estaba perdido. Y, si la memoria no me fallaba, Taína había estado en una de mis clases. Era biología y allí nunca cantó. Solo dijo una palabra: *pigeon*. La palabra sonaba fuerte, como si su lengua no hubiera probado nada dulce y su acento estuviera preñado de español, como si Taína acabara de llegar a los Estados Unidos.

Qué vergüenza.

Decían que había sido este bochorno el que convirtió a Taína y a su madre en ermitañas, viviendo encerradas en un cuarto en penitencia. Decían que ese bochorno que todo el vecindario conocía había hecho que Taína dejara de cantar. Era ese bochorno el que ambas mujeres tenían miedo de enfrentar y por eso cerraron la puerta a todos y a todo. Decían que Doña Flores había sido la peor de las madres. Decían que Doña Flores debía haberlo imaginado. Que, incluso desde niña, cualquier madre hubiera podido ver que Taína Flores iba a ser hermosa y, por lo tanto, atraería problemas. Y cuando los ojos de Taína comenzaron a brillar como los lagos en el Central Park y sus pechos pasaron de ser objeto de burla de los chicos a ser objeto de deseo en la oscuridad, era seguro que algún tipo de desastre ocurriría. A una jovencita bonita como Taína hay que mantenerla bajo llave y Doña Flores conocía bien al tipo de hombres que esperan que las muchachas entren solas a un ascensor vacío.

Después de lo que todos concluyeron que era una tragedia, enviaron a los consejeros de nuestra escuela a pasar por el apartamento 2B en el 514 Este de la Calle 100 y la Primera Avenida. Doña Flores no les abrió la puerta. Los detectives fueron varias veces para realizar el informe obligatorio. Doña Flores no les abrió. Los trabajadores sociales tocaron a la puerta. Doña Flores no les abrió. Poco después, para alejar esas visitas no deseadas, Doña Flores sacó a Taína de la escuela. No se llenaron papeles, no se usó la educación en el hogar como pretexto. Un día, Taína simplemente dejó de asistir.

Doña Flores era ahora la única que se veía en la calle, siempre llevando las provisiones o de camino a cobrar los beneficios de la asistencia social. Con el tiempo, cuando ya el chisme dejó de ser fresco, El Barrio encontró nuevos temas de conversación. Todos empezaron a tratarlas a ambas de la forma en que querían ser tratadas y las dejaron en paz.

A la única persona que vi que Doña Flores le abriera la puerta era un anciano alto, altísimo. Medía como siete pies y siempre usaba una capa de satín negro con forro rojo como las de las enfermeras. Tenía manos largas y, aunque era viejo, como de sesenta y tantos, diría yo, sus ojos color avellana brillaban como luciérnagas. La gente del vecindario lo llamaba el Vejigante, como el larguirucho personaje del diablo en el folklore puertorriqueño, pero nadie sabía nada sobre él. El Vejigante apareció un buen día de la nada en El Barrio, como si hubiera estado guardado dentro de una gaveta por muchos años. Lo vieron por primera vez vestido de vejigante en el desfile puertorriqueño del año anterior y, poco después, estaba viviendo en El Barrio. Era tan retraído como Taína y su madre. Caminaba por las calles de El Barrio solo de noche.

Muchas veces llegué hasta la puerta del apartamento de Taína. Yo vivía en el décimo piso, en el mismo proyecto.

Tomaba el ascensor y marcaba el segundo piso. Al salir, mi corazón se aceleraba como si tuviera miedo de despertar a un bebé a quien no se debía perturbar. Sigilosamente caminaba hasta el 2B y, cuando estaba lo suficientemente cerca, pegaba el oído izquierdo a la puerta. Oía un silencio absoluto, como si el apartamento estuviera vacío y listo para ser alquilado. Dejaba mi oreja pegada a la puerta. Cuando la vecina del 2A me descubrió, me dijo que ella había hecho lo mismo y que no oiría nada; que ningún sonido escapaba por debajo de la puerta del 2B, como si ni siquiera los muertos lo habitaran, porque hasta los muertos hacían ruido, según ella.

Pero yo seguía visitando su puerta. Estaba seguro de que Taína y su madre serían como personajes bíblicos. Tenía esta visión de gente de todas partes del mundo en peregrinación a El Barrio para tener una ínfima posibilidad de ver por un segundo a una virgen embarazada viviendo en los proyectos del East River. Pegarían sus oídos a la puerta del 2B al igual que lo había hecho yo y, si eran afortunados, podrían recibir la bendición de oír un suspiro escapar de los santos pulmones de Taína. Yo estaba seguro de que esto iba a ocurrir. La historia de Taína se había difundido por todo El Barrio. Muchos se encogían de hombros, otros tantos se reían. Nadie la creía, pero yo sentía que solo era cuestión de tiempo para que el número 2B en el 514 de la Calle 100 se conociera como el recinto que albergaba a una santa viviente.

Pero esto no ocurrió.

Los residentes de El Barrio siguieron creyendo en la

desafortunada vergüenza, la tragedia que le había sucedido a Taína. El hombre que había hecho esto probablemente era el mismo cuyas fotografías una vez cubrieron las paredes de la oficina de correos de Hell Gate en la Calle 110 y la Avenida Lexington. Este sujeto había estado merodeando por el vecindario en busca de jovencitas como quien busca zapatos en oferta. Se sabía que seguía a las niñas solas hasta la puerta de sus apartamentos, se les acercaba por detrás, cuchillo en mano, y les reclamaba: "¿Tu vida o tus ojos?". Este hombre había causado mucho daño en todo el vecindario y muchos creían que era el padre de la criatura de Taína.

Pero yo no.

Yo le creía a Taína.

Yo creía en Taína. Y cuando el hombre que muchos decían que era el padre fue capturado y encarcelado, yo agarré todo el dinero que mi madre me había dado para comprarme unos mahones y unos tenis nuevos y tomé el Metro-North hasta Ossining, NY. Había leído su nombre en el diario *La Prensa*. Nunca antes había visitado una prisión, así que ingenuamente pensé que, sabiendo su nombre, podía presentarme allí como en un hospital y decir "vengo a visitar a Orlando Castillo" y que me dejarían entrar. El guardia me dijo que necesitaba a un adulto que fuera pariente de este Orlando Castillo y que solo podía ir cuando el confinado tuviera visitas programadas. Le dije al guardia que solo quería hacerle una pregunta al sujeto, que no tomaría mucho tiempo, pero el guardia no tenía tiempo para mí. Había un montón de familas esperando en fila para firmar el registro de entrada y poder subirse a un autobús que los llevaría al complejo. Yo estaba interrumpiendo la fila. El guardia me dijo que me fuera o patearía mi despreciable trasero.

Me fui furioso porque había sido un viaje largo y caro, en tren y en autobús. Pero, lo más importante, porque no había obtenido respuesta a mi pregunta: "¿Alguna vez visitó el número 2B de la 514 y la Primera Avenida? ¿Un proyecto en El Barrio por el East River? ¿Una chica de unos 15 años, con ojos color avellana?". Estaba seguro de que el hombre diría "no" o, lo más probable, mentiría y diría que no se acordaba.

Comencé a cuestionarme por qué me interesaba tanto Taína. ¿Por qué no podía dormir, comer o pensar en cualquier cosa que contradijera mi genuina esperanza de que Taína hubiera concebido sola una criatura? ¿Acaso creer que ella era virgen era una manera de conservarla para mí solo? Por supuesto que estaba enamorado de ella. Pero, incluso a los diecisiete, algo dentro de mí, en algún lugar que apenas conocía, me decía que este amor por Taína era más que un simple capricho; era más como la tristeza que se siente por los niños abandonados o los libros o las flores. Una tristeza como la de un coquí al que le han dicho que tiene que permanecer en silencio, y yo quería que Taína cantara.

EN LA ESCUELA, todos se burlaban de mí, sobre todo Mario Depuma. Me daba pescozadas a la hora del almuerzo.

—¿Diecisiete? ¿Y no sabes cómo se hacen los bebés, *psycho*?

Por supuesto que lo sabía, pero Mario era grande y yo nunca hubiera podido ganarle en una pelea.

—Fue un milagro —respondí.

Mario tomó el helado de mi bandeja y volvió a reírse.

—Aquí el único que es virgen eres tú. —Todos los demás muchachos esquivaron la mirada, aliviados de no ser ellos con quienes Mario se estaba metiendo.

Aunque yo era virgen, le contesté que esto no se trataba de sexo.

—¿Tú estabas ahí, *psycho*? —dijo con la boca llena de helado—. Claro que no, ¿eh? ¿cómo carajo vas a saberlo?

—Había otras personas.

—Vete a la mierda. —Escupió en el piso para aclararse la voz—. Todos saben que tú oyes voces; oyes voces en tu cabezota.

—Yo no oigo voces. —En realidad no las oía. Yo veía cosas, pero era mi forma de lidiar con mi vida. Lo que yo veía, mis visiones, mis fantasías, eran solo para mí—. Bueno, Mario, ¿qué tal esa gente que sobrevive a un avión que cae del cielo? Tú sabes. Hay cosas que no se pueden explicar.

—Hablas como un *psycho* marica. —Me lanzó a la cara lo que no se había comido—. Te conozco desde el cuarto grado. Creías que sífilis era una mutante de los X-Men. —Mario se rió y se fue.

Pero a mí no me importaba. El ridículo no era nada. Pronto comencé a preocuparme por el futuro bebé de Taína. Empecé a ahorrar todas mis mesadas, cinco dólares a la semana, y a comprar regalos para su bebé por nacer. Compré zapatitos, ropita, Pampers, loción y aceite para bebé, talco, toallitas, champú. Lo dejaba en la puerta de Taína. Al otro día, siempre encontraba mis regalos tirados en el frío cemento al lado de las bolsas de basura sin recoger.

Un día, caminando por la calle, vi una cuna de segunda mano en la vitrina de una casa de empeño Army-Navy. Estaba hecha de una hermosa madera de roble, con ángeles tallados en la cabecera. Era un poco cara y yo nunca hubiera podido ahorrar lo suficiente como para comprarla, así que compré un moisés que estaba junto a la cuna. Lo llevé a casa y lo escondí de mis padres, mientras pensaba si la barriga de Taína se vería tan redonda como la luna. Al igual que mis regalos anteriores, recosté silenciosamente el moisés frente a la puerta de Taína. Toqué el timbre y me escondí en el hueco de la escalera como quien hace una travesura en la noche de brujas. La puerta se abrió y mi corazón dio un vuelco. Pero no era Taína ni su madre, sino el Vejigante. El viejo alto miró para ambos lados de tal forma que parecía saber que alguien se estaba escondiendo. Resopló como si de sus fosas nasales pudiera salir fuego y humo. El Vejigante recogió el moisés, lo volteó, lo frotó y, entonces, volvió a colocarlo donde yo lo había dejado y cerró la puerta de un golpe.

Al día siguiente, encontré el moisés en la calle con el resto de la basura sin recoger y los cachivaches.

Yo lo seguía intentando, pero Doña Flores y Taína no abrían. Tocaba y pegaba la oreja a la puerta. Tocaba y algunas veces cortésmente susurraba: "Taína" o "Taína, es

Julio, estábamos juntos en Biología. ¿Estás ahí?". Y ni siquiera se asomaba un ojo por la mirilla de la puerta. Entonces tomaba el ascensor de vuelta al décimo piso con una sensación de vacío tan grande como el espacio entre las estrellas.

Verso 2

¿QUIÉN O QUÉ es Eso que ordena a un átomo unirse a otro para formar un espermatozoide y no madera, metal o aire? ¿Quién es responsable de que un bebé se desarrolle mientras flota en esa babosa oscuridad? Incluso a los diecisiete años, sentía que Dios no era la respuesta. Él era demasiado grande. Cualquier cosa podría colocarse dentro de Él sin que realmente encajara. Lo que yo quería era que alguien me explicara este milagro, que me trazara un mapa para poder ver hasta el último detalle. Porque solo ahí, en el lugar más microscópico, entre todo ese espacio vacío que existe entre un átomo y otro, únicamente ahí, Taína podría haber concebido sola a un bebé. ¿Qué tal si ocurrió algo revolucionario? ¿Qué tal si, en algún lugar en el infinito del espacio interior, un átomo se hartó? ¿Qué tal si este átomo declaró que ya no seguiría las leyes escritas en el ADN de Taína? ¿Qué tal si este átomo comenzó una revolución en el cuerpo de Taína? ¿Qué tal si otros átomos decidieron unirse a esa revolución y, en lugar de crear la célula que debían crear, crearon un espermatozoide? Y, según se iba popularizando la revolución, trillones y trillones de trillones de átomos los siguieron hasta que la rebelión invadió el útero de Taína a través del autocreado espermatozoide?

—¡Ay, bendito! ¿Estás oyendo voces? —Mi madre, agitando las manos en el aire y con la boca bien abierta, no podía aceptar mi explicación—. Pa' Lincoln Hospital te voy a llevar. Pa' Lincoln —dijo, mirando al techo como si Dios pudiera oírla. Pero Dios no podía, así que miró a mi padre ecuatoriano que sí podía oírla.

—¿Ves? ¿Ves, Silvio? —le dijo cuando nos sentábamos a la mesa—. Eso es por tú estar hablando de revoluciones desde que él era chiquito.

—Deja tranquilo a Julio. Él es un hombre —le respondió mi padre. Él ya había terminado de comer y estaba leyendo el periódico ecuatoriano *El Universo*. Mi padre estaba desempleado. Leía todos los periódicos, no solo por los avisos de empleo, sino por distracción. Incluso leía los de Puerto Rico, el país de mi madre—. Él es un hombre, deja tranquilo a mi hijo.

Recuerdo haberme sentido orgulloso de que mi padre dijera que yo era un hombre. Yo quería ser un hombre. Cuidar de Taína o, por lo menos, creer en ella me hacía sentir que estaba a la altura de las circunstancias. ¿Quién me había dado esa encomienda? No lo sabía, pero al igual que esos monjes budistas que no podían explicar qué era el nirvana y simplemente sabían cuándo lo habían alcanzado, yo sabía que esto era lo que yo estaba destinado a hacer.

Mi madre lanzó un suspiro estrepitoso. Prendió el radio de la cocina con el volumen bajo. Le encantaban las canciones de antaño. Tito Rodríguez cantaba: *Tiemblas, cada vez que me ves.*

Y entonces, otra vez me enfrentó.

—Julio, Taína tuvo... contacto. —Mi madre nunca podía decir ciertas palabras, como si, al decirlas, permitiera que sus definiciones entraran en nuestra casa.

—Yo no lo creo, Ma.

—Ya tiene dieciocho años, es un hombre —seguía repitiendo mi padre, sin levantar la vista de la página impresa—. O lo llevas al hospital o lo dejas inventar su propio mundo.

—Ves, Ma. —Asentí y señalé en dirección a papá—. Él entiende.

—Tu Pa no sabe na'—hizo una pausa—, porque tú no tienes dieciocho.

—Pues casi, diecisiete y medio.

—Ah, un hombre grande —dijo mamá, hinchando el pecho.

—Leonor. —Mi padre puso a un lado el periódico por un instante—. Tú lo llevas a la iglesia. Tú le dijiste que un hombre, un solo hombre, arruinó el plan perfecto de Dios. Así que créele a Julio y su átomo revolucionario.

—Ah, entonces —dijo, cruzándose de brazos—, ¿tú crees en el átomo revolucionario de Julio?

—No, pero tampoco creo que tú saliste de mi costilla.

—Eso es diferente —contestó mamá de mala manera—. ¡Adán y Eva eran reales! La Biblia es verdad. Lo que dice Julio es una locura. Así hablan los locos.

—Está enamorado —dijo papá, y me sentí abochornado—. Eso es todo; mi hijo está enamorado.

—No, no es verdad —mentí—. No me gusta Taína; me gustan las muchachas mayores —dije, como si intentara convencerme a mí mismo.

—No, señorito. Enamorado o no, mejor deja en paz a esas mujeres. Yo conozco a la madre de Taína. Esa Inelda está loca. ¿Me oyes?

—Sí, *okey*, ya oí. Y no estoy enamorado, ¿*okey*?

—Así que no estás enamorado, ¿eh? —Mi madre señaló mi comida.

Mi padre miró mi plato lleno.

—Te pareces a tu madre —dijo mi padre—. De todos los latinos, tienen que ser los puertorriqueños. —Papá tomó el periódico que estaba sobre la mesa, hojeó *El Vocero* y rió—. Miren esto, ustedes los puertorriqueños creen en el Chupacabras, los extraterrestres en El Yunque, espiritismo...

—Oh sí, pero ¿quién lee eso? Tú. Así que debe gustarte —le dijo mamá arrancándole el periódico de las manos y enrollándolo como un cilindro. Luego le dio en la cabeza con él.

Papa se rió, mirando el periódico enrollado.

—Leonor —dijo—, tú hubieras sido excelente rompiendo sindicatos, con lo bien que manejas ese periódico. —Mamá hizo un ademán de que iba a golpearlo otra vez, pero, en vez de eso, sonrió con ternura.

—En Ecuador —continuó mi padre, mirándome— tenías que elegir de qué lado estabas y eras fiel a esa decisión. Mi padre hablaba de sus días de juventud comunista en Ecuador, pero yo solo podía ponerlo en el contexto de lo que estaba ocurriendo en mi vida. Yo había decidido creer que Taína estaba diciendo la verdad. Y no daría marcha atrás, sin importar lo que me dijera el sentido común. Había cosas que llevaba tiempo entender. Solo tenía que mantenerme firme hasta que algo o alguien viniera a apoyarme para ayudar a los demás a entender lo que le había ocurrido a Taína.

—*Okey*, basta —le advirtió mamá a papá—. Tú me vas a provocar un *patatú*. —Volvió a mirarme—. Y tú —dijo, apuntándome con el dedo índice cual Dios, al mismo tiempo que abría un gabinete de la cocina y sacaba el Windex—, tú mejor que no me metas en problemas con mis ancianos otra vez. Mejor deja de ir al segundo piso a espiar a esas mujeres y a ese viejo loco.

—Yo no conozco a ese viejo —contesté—. No sé nada sobre El Vejigante. Yo solo pienso que Taína está diciendo la verdad.

—Pues no es así y a mí no me gusta la Taína esa. —Apretó el gatillo dos veces, haciendo chorrear el Windex sobre la mesa de vidrio de la cocina—. Y ese viejo, nadie sabe nada sobre él porque seguro que él así lo quiere y eso significa que está escondiendo algún secreto —sentenció ella mientras restregaba la mesa y tarareaba la canción de Tito Rodríguez.

Y por eso tiemblas.

Cuando mi madre pronunció la palabra "secreto", mi padre dejó de mirar el periódico y la fulminó con la mirada. Le quería decir algo que ella no quería oír, así que no le devolvió la mirada. Yo conocía esos juegos con los que se trataban mutuamente y, algunas veces, me ponían furioso, así que lo dejé pasar.

—Esa gente esconde secretos, Julio.

—Los secretos no se esconden, Ma —le riposté—. Es como una doble negación, me parece.

Mi padre se aclaró la garganta y continuó mirando seriamente a mi madre.

—Sabemos algunas cosas —dijo—, cosas que ocultamos a nuestras familias.

A lo que fuera que se estaba refiriendo, a mamá no le gustó. Ella quería decir algo pero se mordió la lengua. Él siguió mirándola intensamente otro rato y, cuando ella no respondió, fue el fin de la discusión. Él había ganado. Mamá no quería hablar de lo que fuera que papá estaba pensando, así que siguió sacándole brillo a la cocina. Tito Rodríguez, con su voz de Sinatra puertorriqueño, seguía cantando.

Verso 3

SE HABÍA CONVERTIDO en un hábito. Esperaba a que mis padres se fueran a dormir para salir a hurtadillas del apartamento. En el solitario pasillo tocaba el botón del ascensor y esperaba. Bajaba, abría las puertas de entrada del proyecto y salía a la acera. Cruzaba la calle y me paraba frente a nuestro edificio, pero en lugar de mirar diez pisos arriba para encontrar mi habitación, contemplaba la solitaria ventana del segundo piso de Taína. Me recostaba en un buzón de correos y veía las cortinas cerradas de Taína, las luces siempre tenues. Me quedaba ahí parado lo suficiente como para ver cómo se iba apagando la mayoría de las ventanas de nuestro proyecto.

Una noche de otoño, recostado al buzón y mirando fijamente hacia la ventana de Taína desde la acera de enfrente, vi dos siluetas salir de nuestro edificio. Era tarde y estaba oscuro, pero podía ver una figura gruesa sujetándose de una más delgada con tal elegancia que sabía que eran Taína y su madre.

Mi corazón saltó como un delfín.

Yo no había visto a Taína y ahí estaba ella. Tuve que hacer acopio de todas mis fuerzas para no cruzar la calle y espantarlas. Quería estar cerca de Taína, pero tenía miedo de que retrocedieran si su madre me veía. ¿Qué estaban haciendo afuera tan tarde? ¿A dónde iban? "Quizás Taína necesita hacer su ejercicio", pensé. Quizás tenía que mantenerse sana para tener un buen parto. "Así es como tomaba aire fresco", pensé. Taína tiene que salir de noche para que nadie la moleste; para que nadie la vea. Las dos mujeres se habían apartado del resto del mundo y, al igual que los búhos, solo se sentían cómodas volando cuando todos los demás estaban durmiendo.

Desde la acera de enfrente vi que el cabello mitad rubio, mitad castaño de Taína estaba encrespado como si se acabara de levantar de la cama. Su cabello daba indicios de estar cargado de electricidad y de sus rizos surgía un resplandor de estática semejante a una aureola. Su abrigo aparentaba ser de lana y se veía demasiado grande para ella, como si hubiera agarrado el primero que encontró por impaciencia. Era una capa; tal vez no tenía mucho frío, pero necesitaba algo grande para esconderse dentro. Las seguí todo el camino de la Calle 100 y la Primera Avenida hasta la 106 y Tercera. Cuando dejamos atrás el enclave de los proyectos, la noche cobró vida. Los nuevos residentes de El Barrio habían salido para empaparse de toda esa nueva vida nocturna. Había numerosas barras y cafés abiertos hasta tarde donde estos jóvenes, en su mayoría blancos, comían, bebían y reían en lo que ahora ellos llamaban *Spa-Ha*. Ni siquiera entre los nuevos residentes perdí de vista a las dos mujeres. Desde la acera de enfrente, las vi doblar en la esquina. Él había estado esperándolas de pie, más alto que nunca, con su capa negra y llevando un bastón. El Vejigante besó a ambas mujeres en la mejilla dos veces, al estilo de los rusos, y las abrazó como un padre. Hablaron durante unos segundos antes de continuar caminando, proyectando una insólita sombra amplia que semejaba cuadrados deformes. No caminaban; más bien paseaban, como si no fuera medianoche y estuvieran tomando el sol en Central Park. Por momentos podía oír que Doña Flores se reía con algo que decía el Vejigante. Pronto los tres entraron a una bodega abierta las 24 horas. Crucé la calle y, a través de la vitrina, vi a Taína tomar una revista y a su madre, acetona. El Vejigante no miró nada, solo esperó al lado de la caja registradora. Me incliné y entrecerré los ojos para distinguir el nombre de la revista que Taína había tomado, pero no pude leer la portada. Enseguida me di cuenta de que lo que tenía Doña Flores no era acetona sino Agua Maravilla. Doña Flores puso sobre el mostrador la revista de Taína, el agua de hamamelis y unos Twinkies que Taína quería. El Vejigante apartó su capa y buscó en el bolsillo. Al parecer no tenía mucho dinero porque pagó con un menudo, como si hubiera roto su alcancía. Después de eso, me escondí detrás de un carro estacionado mientras los tres salían de la tienda. El Vejigante le preguntó algo a Taína porque ella asintió con la cabeza y sonrió.

Taína ya no caminaba agarrada del brazo de su madre. Desenvolvió los Twinkies y los devoró en grandes bocados como si fueran *hot dogs* y, después de chuparse los dedos, empezó a caminar más despacio mientras pasaba las páginas de la revista de una manera que me indicaba que solo miraba las fotografías. Quizás por ser de noche no podía leer, pero, tres cuadras después, terminó y le dio la revista al Vejigante, que la tomó y enrolló con cuidado para no estropearla. Taína volvió a agarrarse de su madre y continuaron la marcha.

La Tercera Avenida estaba iluminada por los postes de alumbrado. Era una fresca noche de otoño. Cuando llegaron al parque infantil de la Calle 107, Taína y su madre entraron, pero el Vejigante no. Las esperó fuera de los portones del parque como si una línea invisible le impidiera el paso. Se quedó de pie sin más, fuera de la verja del parque; ni siquiera se sentó en los bancos, igual que un perro al que dejan atado a un parquímetro. Taína eligió un columpio y se sentó en él sin dificultad, a pesar de su abultado vientre. Doña Flores empezó a empujarla por detrás para que Taína pudiera tomar velocidad y su columpio subiera más alto. En ese momento, escuché a Taína gritar animadamente la palabra "sí" a su madre. Yo me sentía tan feliz de haber oído hablar a Taína que tenía miedo de que alguna catástrofe interrumpiera ese momento y me arrancara de allí. Comencé a sudar, pero, de repente, la ansiedad se desvaneció y se produjo un cambio misterioso, como si tuviera la certeza de que todo estaría bien.

Doña Flores siguió empujando el columpio de Taína. Las piernas de esta colgaban y ella las flexionaba y después las empinaba para ganar velocidad mientras se agarraba con fuerza de las cadenas del columpio. Echaba hacia atrás la cabeza dejando que el viento se apoderara de su cabello. Entonces la oí pronunciar otra palabra: "no". Dos palabras. Sabía que Tanía cantaba y que lo hacía a la perfección, y quizás lo haría allí, en ese momento; a capela estaría bien. Estaba muy emocionado, seguro de que vería quién me amaba o tal vez incluso tendría una de mis visiones. Pero, su columpio pronto se detuvo. Su madre le preguntó algo y Taína asintió, y ambas salieron del parque para reunirse con el Vejigante más allá de la verja.

Yo iba media cuadra detrás cuando dieron vuelta hacia el East River y de regreso a casa. El Vejigante parecía seguir paseando, pero las mujeres caminaban ahora con las cabezas bajas, asegurándose de que nadie las viera. Aun siendo tan tarde, con las calles vacías de residentes nativos y llenas más que nada de jóvenes blancos, comenzaron a caminar sin hacer contacto visual con los carros, los postes de alumbrado, los buzones, los edificios ni nada.

En un abrir y cerrar de ojos, los tres llegaron a nuestro edificio en la Calle 100 y la Primera Avenida, los tres entraron y yo volví a quedarme solo.

Estaba feliz de haber estado tan cerca de Taína y de cómo luché con todas mis fuerzas para no gritarle "Hola". Miré todos los proyectos a mi alrededor y me consolé pensando que todos esos edificios llenos de gente pobre como yo no importaban porque yo vivía cerca de un río, un río de verdad, el East River, y, por alguna razón, comencé a caminar hacia el río. Miré el concreto debajo de mis pies y sentí que todas las bolsas de basura, envolturas de dulces, vasos de café, manchas de aceite, vidrios rotos, marcas de goma de mascar, colillas de cigarrillos, cajas de pizza, todas las latas, toda esa basura me decía que estas cosas me querían. Yo pertenecía allí. Aun cuando yo fuese de los proyectos de Nueva York, este mundo me amaba, me acogía y me hacía sentir valioso, y no como los niños no deseados. Caminé hacia el río. La brisa me hacía cosquillas en las orejas. Cuando llegué al East River, por primera vez me di cuenta de que solo la FDR Drive separaba los proyectos del paseo tablado del agua. Los carros en la autopista pasaban a toda velocidad rugiendo igual que las olas. De espaldas al agua, miré la pared de proyectos frente a mí y sonreí, porque entre todas esas ventanas cuadradas que definían los proyectos, dentro de uno de esos cubículos, vivía una santa. Entonces, oí desde algún lugar debajo de un zafacón cercano, el canto de amor de un grillo.

—No te asustes, papo.

El Vejigante me sobresaltó. Sostenía una barreta en una mano. Me alejé lentamente. Estaba listo para correr cuando me pilló mirando el hierro. Noté que se sintió avergonzado.

—Tómala. —El Vejigante me extendió la barreta—. Tómala, papo.

Se la arrebaté de la mano, aunque sabía que nunca podría golpearlo. La sostuve como un bate que estaba dispuesto a usar en cualquier momento.

—Espero que no estés asustado ahora, ¿eh, papo? —me dijo con las manos al frente, en caso de que yo me lanzara.

Era viejo, pero alto, y eso le daba el aspecto de tener todavía mucha vida por delante. Tenía la piel clara y de la manera en que me llamaba "papo" no me dejaba dudas de que era cien por ciento puertorriqueño, como mi mamá.

—Mucha gente no me conoce porque los viejos son invisibles. —Dejó escapar una risita.

Tenía una enorme separación entre sus dientes incisivos. De cerca, vi que su capa estaba ajada, el satín descolorido. Sus pantalones estaban tan raídos como su camisa, la tela se deshilachaba. Su cabello, largo, con la raya al medio y sostenido con una gomita. Esa noche, cuando hablé con él por primera vez, me recordó a un Jesucristo abatido, andrajoso, anciano y vencido, cuyos discípulos habían abandonado hacía ya mucho tiempo.

—¿Qué quiere? —le dije, aunque lo que yo quería era preguntarle sobre Taína.

—¿Yo? —Se encorvó de la manera en que lo hace la gente alta cuando se sienten inferiores por ser tan altos—. ¿Yo? Yo quisiera empezar de nuevo, pero eso es imposible, ¿te das cuenta, papo?

—*Okey*—dije yo, porque no tenía idea de lo que estaba hablando. Apreté más fuerte la barreta solo por hacer algo.

—Tú eres Julio, ¿verdad? Vives en el proyecto de Taína, ¿unos ocho pisos más arriba? —preguntó, y yo asentí—. Te he visto por ahí. —Su voz era áspera como el sonido que hacen esas máquinas sofisticadas de hacer café.

—¿Y qué pasa? —le dije.

—No, si es algo bueno. Tú crees que Tanía está diciendo la verdad...

—Ella dice la verdad —lo interrumpí—. Usted la conoce, así que sabe que ella está diciendo la verdad.

—*Okey, okey, okey*, cálmate —me dijo, porque yo alcé la voz sin darme cuenta.

—Lo siento —bajé la voz—. ¿Usted es el padre de Taína? —pregunté, aunque era muy viejo para serlo.

—No, no, no. No. —Se agazapó, encorvando los hombros en señal de humildad—. ¿Quieres que esas mujeres te hablen, papo?

Aunque sus ojos color avellana todavía conservaban algún brillo, su cara estaba plagada de arrugas.

Me encogí de hombros, como si no me importara.

—No seas así. —Sabía que yo estaba fingiendo, tratando de parecer tranquilo.

—No confío en usted —le dije. Era tarde y tenía que llegar a casa antes de que mis padres se despertaran.

—Ok. Espérame mañana en la noche, papo. A la misma hora, frente a la ventana de Taína, al lado del buzón, y yo te diré qué hacer. Te diré qué hacer para que te abran la puerta, ¿okey?

Asentí.

El hombre se dio vuelta para continuar la marcha.

—¡Hey! ¿Quiere su barreta de vuelta? —le pregunté y él se volteó.

—Sí, puede que la venda.

—Vejigante —le devolví el hierro—, ¿cuál es su verdadero nombre?

—¿Mi nombre? —Tomó su barreta y miró el cielo nocturno como si buscara el nombre entre las estrellas.

Entonces bajó la vista, no hacia mí, sino hacia el concreto y luego hacia los carros que pasaban por la autopista. Volvió a mirar al cielo buscando qué decir. Cuando finalmente me miró, sus ojos color avellana estaban enormes, igual que un ojo egipcio de esos sarcófagos de momias en el Met. Analizó mi cara como un radar nervioso, decidiendo si debería decírmelo.

—M... mi verdadero nombre es Sal... Salvador —tarta-mudeó—. Mi madre, cuando vivía —dijo, persignándose—, me llamaba Sal. Una vez, cuando tenía más o menos tu edad, fui famoso.

—¿En serio?

—Sí, salí en todos los periódicos, papo. *Time Magazine*, *Newsweek*... Cuando tenía tu edad —reveló en el tono más melancólico de todos los tonos melancólicos del mundo—, yo era "The Capeman", el hombre de la capa.

EL SEGUNDO LIBRO DE JULIO:

THE
CAPEMAN

In a couple of days they come and take me away.

—PAUL SIMON, "ME AND JULIO DOWN BY THE SCHOOLYARD".

Verso 1

MIS AMIGOS Y yo estábamos sentados en una esquina del comedor. Servían pizza y helado. Yo sentaba cátedra.

—¿Se dan cuenta, amigos? Algo ocurrió dentro, muy dentro de su cuerpo y produjo espermatozoides en lugar de células sanguíneas o células de la piel o de los huesos o algo por el estilo.

—¿Cómo va a ser? —reaccionó BD.

—¿Por qué no? Supuestamente ya pasó una vez, ¿no? —contesté.

—Sí, pero ese fue Dios.

BD había perdido un brazo porque tenía el don de atraer problemas. Su madre prefería que durmiera hasta tarde porque así cuando se levantara tendría menos tiempo para meterse en problemas.

—Dios no tuvo nada que ver con eso —repliqué.

BD perdió el brazo por un reto. Un muchacho lo desafió a saltar a las vías del *subway* en la parada de la calle 103 y caminar de una plataforma a la otra. Cuando el metro salió de la nada, BD sobrevivió pero perdió el brazo. Por la prótesis, todos en el barrio dejaron de llamarlo Héctor y comenzaron a llamarlo "Bionic Dude". BD llevaba siempre en el bolsillo una fotografía en la que tenía sus dos brazos para mostrarle a todos que no había nacido así.

—Las cosas suceden una sola vez —intervino Silvestre—. Yo perdí mi virginidad una sola vez, ¿viste?

—¡Ya quisieras tú! —gritamos todos.

El verdadero nombre de Silvestre era Elvis, pero cuando hablaba te caía un aguacero. El tipo lo escupía todo. Nadie lo llamaba Elvis. Todos lo llamaban Silvestre, por el gato que escupía en los dibujos animados. Realmente no era mi amigo porque era la última persona con la que querías comer, pero no era malo. Aunque nunca devolvía los lápices que tomaba prestados.

—Oigan, lo único que digo es que nuestras madres nos arrastran todos los domingos a la iglesia para que nos cuenten que sucedió algo como esto. Y está pasando otra vez, hoy día.

—Estás loco —sentenció BD.

—Todos saben que ella fue atacada —agregó Silvestre, mientras cubríamos nuestras bandejas.

—No es cierto —riposté y me limpié el brazo de alguna saliva que me había alcanzado—. Su madre dijo que no la atacaron. Su madre no le pierde pie ni pisada, así que tiene que saberlo. Y yo estoy seguro porque fui a ver al tipo ese que atacaba a las muchachas —proclamé.

—No inventes. —BD se dispuso a buscar dulces Jolly Ranchers en sus bolsillos.

—Es verdad; hablé con él en la cárcel y me dijo que él no lo hizo.

—Sí, claro, eso es lo que dicen todos los convictos, mano. —Silvestre hablaba con la boca llena de carne, lanzando los pedazos—. Todos dicen que no lo hicieron.

—Acabo de decir que hablé con el tipo...

—¿Cómo entraste? —preguntó BD.

—Mi padre me llevó en el carro y yo entré a la prisión. Era como en la televisión: un montón de cabezas rapadas, Nación Aria, los Bloods, tipos con tatuajes levantando pesas y esas cosas. Como en *Cops*. —Me complacía que me creyeran.

—Bueno, *okey*, está bien —respondió Silvestre—, pero él no es el único violador que anda por ahí. Quizás fue otro tipo el que lo hizo.

—De ninguna manera —insistí.

—Oye, amigo —dijo BD—, alguien invadió su "toto", ¿ya está?

—Yo no sé por qué ustedes los dominicanos le dicen "toto" —escupió Silvestre a BD—, ¿no debería ser "tota"?

—Vete al carajo, ¿por qué no te vas a salpicar a otra parte? —respondió BD.

—No, pero, ¿por qué los dominicanos le dicen "toto" —Silvestre bebió un sorbo de leche—, como si fuera el nombre de un tipo? En PR le decimos "chocha", en femenino. —Y llovió leche.

—Ya no hablen más mierda —les dije.

Con su brazo bueno, BD sacó unos Jolly Ranchers del bolsillo.

—¿Quieren?

Tomamos uno.

—Saben que Taína canta, ¿verdad? ¿Verdad? Eso he escuchado —comenté.

—Yo estaba ahí. Yo la escuché —contestó BD.

—¿Tú estabas ahí? Nunca me dijiste. —Me emocioné al oírlo.

—Silvestre y yo estábamos allí. Mano, no había cupo en mecanografía, así que tuvimos que entrar en el coro. Mierda. —BD se rió—. Cuando el grupo vio entrar a Silvestre, todos se movieron al extremo opuesto del salón.

—Eso es embuste. —Silvestre empapó a todos, defendiéndose—. Yo puedo entonar bien, hijueputa.

—Sí, pero eres un hidrante ambulante, mano —contestó BD—, y todos lo sabían; pero Taína fue la única que no se movió. Se quedó ahí sentada esperando lo suyo.

—¿Qué pasó? —Mi mejor amigo había estado ahí. Yo quería oír todos los detalles—. ¿Qué pasó? ¿Qué pasó?

—Nada. —BD se encogió de hombros—. Ella cantó. Fue bueno. Eso es todo. Esa fue la última vez que la oí hablar o algo.

—¿Eso es todo? ¡Pero la Srta. Cahill contó todas esas cosas sobre su manera de cantar! —insistí.

—Na' —siguió BD—, cantaba nada más.

—¿Ves que tú no sabes un carajo de música, BD? —exclamó Silvestre—. Está bien, puede que yo escupa un poquito, pero...

—¿Un poquito? Negro, de tu boca salen tsunamis.

—Déjalo hablar, BD —interrumpí, porque Silvestre

también había estado ahí y yo quería oír su opinión—. Déjalo hablar.

—Gracias, Julio, porque BD no sabe un carajo de música, pero yo sí. Yo sé que cuando esa chica se puso a cantar, era como si hubieran encendido la radio. La Srta. Cahill y todos los que estaban en el pasillo entraron al salón de música para escucharla. Tenían cara de "¡caray, si el patito feo es un cisne!".

—Taína no es fea —aclaré—, pero ¿qué más?

—Ella puede abarcar seis o siete octavas. —Silvestre miró a BD—. ¿Tú sabes lo que es una octava?

—Sí, cuando tu madre se tira a un pulpo.

—¿Qué más, Silvestre? ¿Qué más? —insistí.

—Fue hermoso, mano. Después cerró el pico y no volvimos a oír una palabra de su parte.

—¿No volvió a cantar?

—No volvió a hablar —precisó Silvestre.

En ese momento, todos nos pusimos tensos. Mario venía hacia nosotros.

Mario Depuma, el muchacho italiano con el que crecimos. Ya tenía veinte años, un ultra-mega-viejo estudiante de último año de preparatoria. Le quedaba un año de gracia antes de cumplir los 21 para que el sistema de escuelas públicas pudiera expulsarlo legalmente. Mario era como El Increíble Hulk de los cómics que se pasaba leyendo. Era bajo y fornido, todo músculos. Sus manos parecían capaces de romper en pedazos la guía telefónica. Vivía en la Avenida Pleasant, al lado del restaurante Rao's, el último bastión de la sección de la antigua *Little Italy* en El Barrio. Todos conocían a su padre; era igual a Mario, una mole no muy brillante. Se decía que el padre; de Mario había sido uno de los matones de John Gotti.

A la hora de almuerzo, Mario interpretaba su acto. Se paseaba alrededor de la mesa donde mis amigos y yo todavía estábamos comiendo. Sostenía en su mano una pinta de leche abierta. Sabíamos que iba a derramarla sobre alguno de nosotros.

Ese día, cuando vimos que Mario se acercaba, nos callamos, aguantamos los Jolly Ranchers en nuestras bocas y miramos fijamente al frente esperando no ser el blanco que Mario escogería. Pero sentí su presencia detrás de mí. Él me odiaba, me llamaba *"psycho"*. Entonces, sentí la leche fría derramándose por mi cuello, bajando por mi espalda y llegando hasta mis mahones.

Oí reír a Mario.

—No te enojes, como quiera eres un espalda mojada —dijo—. No te levantes, espalda mojada. Mexicanos, puertorriqueños, dominicanos, todos son espaldas mojadas.

Callé y lo miré de frente.

—Ah, pero si eres tú, *psycho*. —No lo sabía—. ¿Qué vas a hacer, espalda mojada? Te golpearé tan duro que tus hijos nacerán mareados.

Quería golpearlo, aun sabiendo que me haría añicos.

Volví a sentarme lentamente.

—Voy a decirte algo sobre la Taína esa, *psycho* —dijo en voz bien alta para que todos en el comedor pudieran oírlo—. Yo me tiré a esa boba. Yo soy el padre de ese adefesio. —Mario se fue, riendo, con el orgullo de quien acaba de degollar una imponente presa.

—Tengo un suéter en mi mochila que te puedo prestar —me dijo BD—, o puedes usarlo como toalla.

Pero yo estaba furioso y tenía ganas de llorar. La leche en mi espalda se sentía más fría en mi calzoncillo mojado.

YO DESEABA SER parte de la vida de Taína. Deseaba ser capaz, de alguna manera, de hacer que su aliento coincidiera con los latidos de mi corazón, como lo hacían algunos monjes budistas con el universo, según había leído, de modo que, incluso cuando los monjes dormían, sus pulsaciones permanecían en armonía con todas las cosas. Yo deseaba sentirme así, tener siempre a Taína latiendo dentro de mí, oírla cantar un día y ver el amor, realmente ver el amor filtrándose por sus pulmones. Pero Taína se había cerrado al mundo y el Vejigante lo sabía.

Sentía la necesidad de saber más sobre él. Así que, después de clases, visité la biblioteca pública Aguilar en la 110 y Lexington. Yo sabía lo que era un vejigante y por qué lo llamaban así. El anciano era largo y flaco, parecía que andaba en zancos. Pero no sabía quién era The Capeman. Me senté frente a la computadora y busqué el nombre en Google.

Las fotos que aparecieron en la pantalla eran de un muchacho flaco, no muy distinto a mí, pero mucho más alto, con ojos color avellana, y las manos esposadas. Su nombre completo era Salvador Negrón, nacido en Mayagüez, Puerto Rico. Había sido arrastrado de Nueva York y de vuelta a la Isla por sus padres tantas veces como lo arrastrarían más tarde de una correccional de menores a otra; de prisiones a asilos mentales, y de nuevo a prisiones.

Según Wikipedia, había sido durante el último año de la década de los cincuenta. Los grupos musicales de *doo-wop* y las pandillas de adolescentes habían invadido las calles de Nueva York. La noche de los asesinatos en el parque infantil había sido sábado. Por todo el Upper West Side, desde la 100 hasta la 70, la gran población de puertorriqueños que vivían allí antes de la gentrificación, antes de la limpieza de Needle Park, absorbían la vida nocturna de la calle con los radios tocando salsa a todo volumen y los hidrantes abiertos. Todos buscaban a alguien con quien bailar, buscaban a alguien a quien amar y quien los correspondiera. Todos se refrescaban de una ola de calor de verano.

Eran las nueve y media de la noche cuando Salvador se enteró de que unos muchachos de una pandilla blanca, los Norsemen, habían golpeado a un miembro puertorriqueño. Como presidente de los Vampires, Salvador reunió a sus chicos y dio instrucciones a los Vampires de encontrarse en terreno de los Norsemen: un parque infantil en la 46 y la Novena Avenida.

Algunos Vampires llegaron a pie, otros tomaron el autobús. Salvador saltó el torno de seguridad y tomó el tren One, se bajó en la Calle 42 y caminó hacia el oeste. Llevaba puesta su capa y cargaba un puñal junto con todo el odio, la furia, la traición y el abuso, todo un cúmulo de tragedias en espera de un pretexto para ser liberadas.

Era una medianoche sin luna en un vecindario de Nueva York conocido en aquella época como Hell's Kitchen, la cocina del infierno. El parque estaba oscuro. Los postes de alumbrado, rotos. Un par de muchachos blancos pasaban el rato en los columpios, sin hacer nada más.

—¡Eh! En este parque no entran Norsemen —gritó Salvador, con sus Vampires apoyándolo.

Los muchachos blancos corrieron, pero Salvador y sus Vampires los persiguieron y se abalanzaron sobre dos de ellos. Salvador derribó a patadas a uno y comenzó a gritarle en la cara "Este es nuestro parque. ¡No queremos Norsemen! ¡No queremos Norsemen blancos!". Su puñal se clavó en la carne del muchacho. Después Salvador apuñaló a otro muchacho, pero estos chicos no eran Norsemen, no eran pandilleros. Solo eran adolescentes blancos inocentes, pasando el rato esa noche en ese parque infantil.

Bañado en un río escarlata, el primer joven llegó hasta la entrada de un edificio de apartamentos. Tocó a la puerta y una anciana irlandesa lo reconoció de inmediato como uno de los chicos del vecindario. La anciana se arrodilló. Sostuvo en sus brazos el cuerpo ensangrentado como si pretendiera cederle el soplo de vida que le quedaba a ella. El muchacho, por su parte, la miró a los ojos y trató de decir algo, pero murió en los brazos de la anciana sin poder articular palabra.

El segundo joven ensangrentado llegó a su edificio de apartamentos frente al parque infantil. Logró subir arrastrándose un tramo de las escaleras y tocó a la puerta de su apartamento. Su madre abrió la puerta y encontró al hijo cubierto de sangre, luchando por respirar, como un radiador pistoneando. La mujer lo sostuvo mientras él exhalaba su último aliento en el pasillo.

Esto era lo que decía Wikipedia, y muchas de las fotografías en el monitor de la computadora mostraban a un muchacho alto y flaco, esposado en el precinto de la policía, con una capa igual a la que usaba el Vejigante. Sus ojos se veían rabiosos y rojos como si hubiera llorado un llanto seco y furioso que quema la garganta.

Esto ocurrió hace mucho tiempo y el muchacho en la pantalla no se parecía en nada al Vejigante de hoy. Era solo un niño al que la prensa llamó The Capeman.

Terminé la sesión.

No me asustaba lo que el Vejigante había hecho cuando tenía mi edad. Seguía decidido a encontrarme con él, más tarde esa noche, porque yo haría lo que fuera por ser parte de la vida de Taína, oírla cantar algún día. Pero hubo algo que sí me asustó. Esa noche, cuando la ira colectiva exigía sangre, la sangre de The Capeman, y pedían que lo ejecutaran en la silla eléctrica, cuentan que Salvador dijo: "No me importa que me frían, mi madre puede observar".

Verso 2

ME QUEDÉ PENSANDO en lo que The Capeman había dicho sobre su madre. Mi madre me había advertido que no visitara a Taína. Me preguntaba qué haría si supiera sobre el pasado del Vejigante. Y de que yo hablara con él. Y de que me encontrara con él esa noche. Mamá decía siempre: "Pa' Lincoln Hospital te voy a llevar. Pa' Lincoln, otra vez, pa' Lincoln". Y yo me asustaba un poco porque había estado varias veces en ese hospital y nunca me gustó. Mamá me llevó a la sala de psiquiatría cuando yo tenía 13 años de edad después que dije que Jesús era estúpido por curar al ciego. Lo que tenía que haber hecho era curar la ceguera. Jesús también fue tonto al resucitar a Lázaro. ¿Por qué no eliminar simplemente la muerte? Para mí era lógico. Pero mamá dijo que lo que Jesús hizo fue presentar una muestra de lo que el Reino de Dios traería. Yo le respondí que por qué esperar, tráigalo ya. Mamá se enojó y para Lincoln Hospital nos fuimos. Ella perdió un día de trabajo y le dijo al médico que yo oía voces y me comportaba como si estuviera loco.

Sí, veo cosas, es verdad. Tengo visiones. Algunas personas llaman a eso soñar despierto, pero las mías son vívidas y me ayudan. Las cosas que veo tienen el propósito de ayudarme a mí y a nadie más. No se las impongo a nadie. Le dije eso al médico y él asintió con la cabeza y entonces programó más citas.

Recuerdo a una muchacha flaquita que vi en una de mis visitas. Había intentado suicidarse tomando Drano. Estaba recluida en el pabellón. Recibía dinero de alguna parte, pero nadie la visitaba. No podía salir ni bajar a la cafetería para comprar barras de chocolate. Siempre les pedía a los visitantes que fueran a la cafetería y le compraran Snickers. Hasta tenía el dinero en la mano, solo necesitaba que alguien fuera a comprarle los chocolates porque los médicos no la dejaban salir. Durante una de mis visitas al médico, le llevé barras de Snickers y una enfermera las vio. Me dijo que no se las diera a la flaquita. Le hice caso a la enfermera. Dos veces al mes, mamá me llevaba a mis sesiones con el loquero y yo veía a la flaquita. Al principio, pensé que le hacían un favor para evitar problemas de peso, pero no era por eso. "Dirá que están rancios y te los lanzará a la cara", me dijo la enfermera, "y luego gritará palabrotas y seremos nosotros quienes tendremos que aguantarla, no tú. Así que no le compres chocolates, por favor". Pero yo seguía llevando los Snickers y, un día, decidí darle a la flaquita. Ella me dio las gracias, hasta me pagó y se fue a un rincón de la sala de visitantes a mirar por la ventana. Saboreó cada bocado, feliz de estar comiendo frente al ventanal de la sala de visitantes que era el orgullo del pabellón de psiquiatría del Lincoln Hospital. La ventana del salón enmarca todos los proyectos de South Bronx que se funden con el contorno adinerado de Nueva York dibujándose en la distancia. La flaquita se sentó ahí como si viera una película sobre dos ciudades distintas que conviven en una. Algunas veces se reía sola. Las enfermeras y los médicos estaban equivocados. Fue en ese momento que decidí no regresar nunca más a Lincoln Hospital. Comencé a mentirle al médico. Le decía lo que él quería oír. Que ya no tenía más visiones. Que sus sesiones estaban funcionando. También sus píldoras, que yo solo fingía que tomaba. En poco tiempo, el médico dijo que solo debía regresar si oía voces o comenzaba a ver cosas otra vez. Excelente. No más visitas. Y, por si acaso, le dije a mi madre que Cristo era bueno, un tipo genial. Cuando se acabó el vino, convirtió el agua en vino para que continuara la fiesta, ¿cómo no iban a quererlo? Se la pasaba con prostitutas y nunca las golpeó, les robó o las metió en problemas. Tremenda persona. Deberían clonarlo. Sí, una verdadera superestrella. Hasta iba con mi madre a las reuniones en el Salón del Reino. Ahí fue donde vi a Taína por primera vez.

YO DE VERDAD pienso que ha ocurrido una revolución en el cuerpo de Taína. Nadie la había tocado. Ella estaba diciendo la verdad. El hecho de que nadie le creyera hacía que ella fuera pura y su historia, verdadera.

Un día, cuando me dirigía a la escuela en el tren número 6, tuve una visión.

Vi a Taína.

Ella estaba en su casa.

Era temprano en la mañana.

Taína despertó. Su cuerpo se sentía extraño. Ella no sabía qué era, pero algo le ocurría. Así que se tomó una aspirina y se preparó un sándwich de mantequilla de maní y jalea y bebió agua. De repente, se sintió hiperconsciente del latido de su corazón, del borde de sus pestañas, de la expansión y la contracción de sus pulmones; el cuerpo le estaba hablando. En mi visión, Taína parpadeaba y dejaba de masticar porque, de pronto, el mundo centelleaba, se desdibujaba, se derretía. Todas las cosas a su alrededor estaban borrosas, como si algo en su interior se hubiera desplazado inesperadamente. Respiró hondo, una bocanada llena de miedo y pánico. Su corazón palpitaba como si quisiera romper la cavidad torácica. Entonces, de golpe, se sintió liviana, esa insoportable levedad del ser que haría parecer que necesitaba más agua, porque el peso del líquido le impediría levitar. Entonces, una profunda claridad dentro de su universo interno que estaba bien, que se relajara, que solo estaba embarazada. Una revolución había estallado dentro de ella. Un átomo había decidido rebelarse para crear vida. Este átomo no deseaba morar en el infinito del espacio interior de Taína y seguir instrucciones. Este átomo no deseaba cambiar su órbita ni ceder electrones al combinarse con otro átomo con el fin de crear la molécula que estaba destinado a crear. Este átomo sintió la necesidad, el deseo de usar su electricidad y su infinito recurso de átomos cercanos para convencerlos de que ellos eran los cimientos del Cosmos y, por tanto, tenían el poder de volver a empezar en un cuerpo totalmente nuevo. Juntos, trillones de trillones de trillones de átomos rebeldes trazaron un plan. Ya no harían lo que estaba escrito en las leyes del ADN de Taína o en ninguna otra ley. Ahora, serían ellos los que decidirían qué enlaces formar, cuántos electrones y neutrones incluir o excluir o compartir en sus composiciones, todo con el propósito final de crear vida. La revolución estaba en todo su apogeo cuando millones y millones de nuevos espermatozoides autocreados se abalanzaron tras el óvulo que se aferraba tenazmente a la inmensidad interna de Taína y, en poco tiempo, uno de ellos llegó y pidió que lo dejaran entrar. El óvulo dijo "sí". El primer segundo del año Cero.

Y, entonces, terminó la visión.

Estaba de vuelta en el metro 6, de camino a la escuela.

Cuando veo estas visiones y otras parecidas, deseo abrazar a Taína, oler el champú en su cabello y susurrarle que ella y el bebé estarán bien. Que nada de esto es irreal. Que no se preocupe porque, aunque inusual, es tan natural como la caída de las manzanas. Susurrarle a Taína que la revolución "la eligió". Estos átomos rebeldes deben haber visto y sentido algo puro y bondadoso en ella; un cuerpo sin cadenas, sin reyes ni dioses.

ERAN LAS 10 de la noche. Mi madre había terminado de ver su novela y escuchaba ahora la radio mientras se preparaba para acostarse. Sophy cantaba primorosamente:

Locuras tengo por tu nombre / Locuras tengo por tu voz.

Yo esperaba que apagara el radio y se fuera a dormir. Mi madre trabajaba en el sótano del Mount Sinai lavando la ropa del hospital. Estaba siempre cansada y se acostaba temprano. Mi padre estaba desempleado, así que estaba un poco deprimido y se la pasaba durmiendo. Yo podía escabullirme fácilmente de la casa cuando quisiera. El Vejigante me había dicho que lo viera a la medianoche al lado del buzón que estaba en la acera de enfrente de la ventana de Taína.

De repente, Sophy dejó de cantar, la radio transmitía una noticia de última hora sobre un terremoto en Aracataca, Colombia. Mamá salió disparada del baño, cepillo de dientes en mano, para escuchar. El sismo había provocado enormes deslizamientos de lodo, tsunamis de tierra, agua y barro que arrastraban todo a su paso. La voz decía que la gente estaba cubierta de lodo y parecía que Dios acababa de crearla, pero aún no le soplaba el aliento de vida. Ríos de barro arrasaban cabañas y pertenencias. "¡Ay, Dios mío!", dijo mamá en voz alta. La voz continuó diciendo de qué manera la gente trataba de salvar sus reses de morir ahogadas en fosos de barro. Yo podía oír claramente a través de la radio el mugido frenético de las vacas. El reportero dijo que era el peor terremoto en la historia de Colombia y mi madre movió la cabeza como si supiera que se trataba de una profecía bíblica, pero yo sabía que ella no tenía la menor idea de dónde quedaba Aracataca.

Horrorizada, mi madre apagó el radio. Yo ni me movía ni hablaba. Estaba tumbado boca abajo en el sofá, con la cabeza colgando en el aire, la sangre corriendo a mi cerebro, y mirando el reloj, esperando que mamá se fuera a dormir.

Pero mi madre continuaba diciendo que estos eran los "últimos días". Fue a donde yo estaba echado y me miró. "Tienes que regresar a la Verdad, Julio", me dijo. "Yo no quiero que te mueras en el Armagedón". Desde donde yo estaba acostado en el sofá, veía a mamá de cabeza. La sangre me estaba llegando al cerebro y sentía un calentón. Podía ver a mamá, pero realmente no podía oírla bien.

—¿Me oyes? —Me dio con un puño en las piernas, que llegaban a sus muslos porque yo todavía estaba acostado boca abajo en el sofá, con la cabeza colgando del borde—. *I don't care* lo que le pase a ese hombre —dijo, refiriéndose a mi padre, aunque yo sabía que eso no era cierto—. *I love you*. El fin está cerca, Julio, *so* prepárate, Julio.

Mi madre seguía hablando en español y en inglés. Pero yo ya había pasado de ese punto. Yo creía en mí, lo que yo pensaba que era real dentro de mí, en mis entrañas. Mi vida era cuestión de elecciones. Yo era libre para tomar cualquier decisión. Pero siempre tuve presente que esas decisiones tenían repercusiones y que sería yo, y nadie más, el responsable de aquellas. Así que siempre traté de elegir lo que consideraba correcto. Ya no iba a la iglesia de mamá, al Salón del Reino de los testigos de Jehová. Sus ancianos habían echado a Taína y a su madre. Sin embargo, creían en María y en su embarazo virgen. Pero no creían a Taína. ¿Por qué? ¿Porque no estaba escrito en un libro que ni siquiera era el más antiguo? La *Epopeya de Gilgamesh* es

más antigua, igual que el *Rigveda* y el *Libro de los muertos*.
¿Puede un libro que no es el más antiguo del mundo pro-
ceder realmente del Primer Espíritu de todos los tiempos?
Lo respetaba porque mamá lo amaba. Lo respetaba porque
otros lo amaban también.

—Julio, el fin está cerca.

Mi madre empezó a llorar amargamente, como si la
hubieran golpeado con un cable de acero. Se arrodilló a
mi lado. Me incorporé rápidamente. La sangre me volvió
a fluir a la cabeza y mi madre me abrazó. Me sentí avergonzado, aun cuando no había nadie más, y yo también la
abracé. Cuando vi su rostro, cuando de verdad vi su rostro,
sabía que había estado llorando desde antes de yo nacer.
Esa melancolía tal vez era el motivo por el que le gustaban tanto las canciones tristes. En medio de su llanto, culpaba a mi padre por no ayudar lo suficiente. Lo culpaba
por estar siempre desempleado y, entre sollozos, las palabras brotaban como se una represa se hubiera roto en
su interior.

—Pa' Lincoln. —Las lágrimas fluyendo—. Otra vez pa'
Lincoln, si sigues creyendo que esa niña pudo embarazarse
sola.

La abracé con fuerza. Ella se secó las lágrimas con el
dorso de la mano. La ayudé con mis propias palmas y sentí
que ella y mi padre me habían creado.

—Está bien —dijo, llorando solo un poco, porque ya
se había calmado—. Solo prométeme —me pidió, mirándome a los ojos— que vas a dejar de tratar de ver a esa muchacha. Prométemelo. Esas mujeres solo traen problemas.

Miré a mi madre a los ojos. Vi que había trabajado duro

toda su vida. Que era la única que trabajaba ahora para mantenernos a flote.

—No veré a Taína —le prometí—. Mi madre asintió con la cabeza y, sintiéndose segura, se limpió la nariz y se fue a dormir.

Verso 3

A LA MEDIANOCHE, yo estaba afuera.

La luna mostraba toda su redondez, semejante a la barriga de Taína. Era una enorme luna amarilla, su fulgor rebotaba en las paredes del proyecto como una pelota de tenis. Mi sangre fluía suavemente, no se agolpaba ante la expectativa de lo que me diría el Vejigante. Me sentía tranquilo, como si esto fuera lo más natural. Sentí una ligera brisa y me recosté en el buzón. Miré hacia la ventana de Taína en la acera de enfrente y esperé al Vejigante. Esperé pasada la medianoche, después de que la mayoría de las ventanas del proyecto se oscurecieran, hasta que incluso la luz difusa de la ventana de Taína se extinguió.

Esperé. Y esperé. Lo primero que noté fue su sombra reflejada en el concreto. Era larga y la luz del poste de alumbrado estiraba su silueta como un fideo. Lo vi a una cuadra de distancia y no sostenía una barreta, sino un bastón. Su capa flotaba porque él caminaba rápido, como si tuviera prisa. Yo me incorporé y no tenía miedo. Esperaba que se acercara, pero cruzó la calle y entró en nuestro proyecto. Yo sabía que iba a visitar a las dos mujeres. Mi corazón estaba contento porque estaba seguro de que me iban a invitar a subir. O quizás el Vejigante saldría con Taína y con su madre y me invitarían a subir con ellos. Esperé felizmente y esperé y esperé para ver por mí mismo si era verdad que Taína, igual que un misterioso pájaro maravilloso, solo volaba de noche.

HAY MOMENTOS EN los que te quedas dormido y ni siquiera te das cuenta. Te despiertas y ya no sabes dónde estás. Me había desvanecido y era muy tarde. El cielo estaba morado, como cuando está a punto de salir el sol. Yo no estaba molesto con el Vejigante por dejarme plantado. Solo tenía que correr a casa antes de que mi madre se despertara para irse a trabajar a la lavandería del Mount Sinai. Justo cuando me disponía a cruzar la calle para ir a casa, vi salir del proyecto al Vejigante. Me vio al lado del buzón y sonrió solo un poquito; cruzó la calle y caminó hacia mí.

—Llega muy tarde —le dije, aunque estaba contento de verlo.

—Yo sabía que estabas aquí, papo —respondió—, solo tenía que asegurarme.

—¿Asegurarse de qué?

—Asegurarme de que esperarías.

—¿Va a decirle algo a Taína sobre mí?

—Ya lo hice. Te están esperando.

Inhalé emocionado. Le di las gracias al Vejigante repetidamente. Estaba listo para cruzar la calle y entrar al proyecto. Tocar a la puerta, así fuera demasiado temprano o tarde. Iba a tocar. No me importaba mi madre ni nada más en ese momento.

—Espera, papo, no puedes subir.

—Pero usted acaba de decir...

—Verás, papo, todo tiene un precio.

En ese momento me di cuenta de que él tenía un as bajo la manga. Vi en sus ojos la maña de los apostadores cuando saben que te tienen en sus manos. El Vejigante se reservaba algo. Empecé a desconfiar y a tenerle un poco de miedo a este anciano. Él había estado regateando toda su vida, tomando atajos y buscando maneras de obtener ventaja de la gente.

—¿Usted de verdad hizo todo eso? —le pregunté.

—¿Hacer qué, papo? —Cambió de postura; su cuerpo ahora bloqueaba el poste de alumbrado y le impartía un oscuro resplandor a la capa.

—Lo que los periódicos dijeron que hizo —le dije.

—¿Cuándo?

—Hace mucho tiempo —le dije—. Usted dijo algo sobre que no le importaba que lo frieran y que su madre podía observar. Usted lo dijo cuando lo llamaban The Capeman.

—¿Cómo? —Esto lo tomó desprevenido; no estaba listo para hablar de eso—. ¿Cómo sabes todo eso?

—Lo busqué en Google —confesé.

—Ah, sí, esas cosas —comentó más para sí mismo, como si elucubrara que Google no existía en su mundo ni en su juventud.

—¿Lo hizo?

Me fijé en su piel pálida y lánguida, como la de alguien que ha pasado largos períodos en lugares oscuros.

—No, papo —expresó en un tono honesto—. Ese no fui yo. Yo soy El Vejigante. Solo un viejo, papo.

—Oh.

Pero yo sabía que era él. Él mismo me había dicho que era The Capeman.

—¿Quieres que la madre de Taína te abra la puerta? —Cambió de tema porque no quería hablar sobre The Capeman. Y yo lo acepté—. Entonces, tienes que ir de visita, como un amigo. Verás, papo, todo este tiempo has ido como un extraño. Tienes que ir como un amigo.

—Yo soy su amigo —le respondí.

—No, eres un extraño, papo.

—No, soy su amigo —repetí, y él negó con la cabeza.

El sol estaba saliendo y el hombre se aprestó como si tuviera que correr a casa o se disolvería. Agarró con firmeza su bastón y sus dedos largos y delgados parecieron una serpiente envolviéndose a su alrededor.

—Te voy a decir cómo puedes entrar como un amigo. Pero si te digo, tienes que aceptar algo, ¿okey, papo? —Le preocupaba la luz que llegaba, como si el sol pudiera hacerle daño—. ¿Tenemos un trato?

—¿Qué clase de trato? —pregunté.

—Después te digo. Ahora, ¿tenemos un trato?

—Sí —dije, porque yo haría cualquier cosa por ser parte de la vida de Taína.

—Entonces, ¿tenemos un trato?

—Sí —respondí rápidamente porque tenía que llegar a casa antes de que mamá se despertara—. Tenemos un trato. Dígame.

—*Okey.* —Se apretó el nudo de la capa y sujetó el bastón más cerca, como para dejarme saber que tan pronto me dijera, iba a correr para su casa—. Taína nos está mirando ahora —reveló.

Miré arriba hacia su ventana, pero no vi silueta alguna.

—Ella se pasa los días mirando por la ventana, ¿sabes qué mira?

—¿Qué?

—El buzón, papo.

—¿El buzón?

—Sí, papo. Taína mira el nombre de su bebé. Todo el día está leyendo el nombre de su bebé. —Ya estaba listo para irse, pero primero señaló al buzón—. Verás, Taína lee en español, papo. Cuando toques a su puerta, di que *Usmaíl* te envió. Ese es el nombre del bebé, y ellas te dejarán entrar.

El Vejigante me guiñó un ojo antes de que sus patas de cigüeña se lo llevaran al romper el alba. Leí el buzón en español. Taína solo hablaba español, así que estaba tan claro como el amanecer que despuntaba. Taína leía el buzón en español, Usmaíl. Cuando se asomaba a mirar por la ventana estaba admirando el nombre de su futuro hijo.

Verso 4

AL SUBIR AL tren 6 hacia el *downtown*, saqué uno de los muchos libros que había tomado prestados en la biblioteca sobre embarazo y parto. Siempre pensé que los partos eran como en las películas. Se presentan los dolores y la mujer tiene que dar a luz en ese momento y en ese lugar, sin peros que valgan. En las películas, las mujeres tienen bebés en los aviones, en los taxis, en las patrullas de la policía y hasta en Starbucks, pero el libro decía que las cosas no eran así. El parto tardaba, se tomaba su tiempo. El libro decía que algunas mujeres iban a ver los cuadros al Met mientras estaban de parto. Otras veían un partido de béisbol y otras se iban a caminar al Central Park mientras tomaban el tiempo entre las contracciones. Era como vigilar una tormenta: primero oyes el trueno y empiezas a contar hasta que ves el relámpago, entonces vuelves a contar y, en poco tiempo, sabes cuánto falta para que empiece a llover.

Cuando llegué a mi parada, guardé el libro sobre embarazo. Me reuní con mi clase en Wall Street. Estábamos en un paseo organizado por dos maestros. El Sr. Gordon era muy viejo, tenía arrugas profundas que parecían talladas en su cara. Se movía con lentitud y estaba esperando para jubilarse. Era el consejero académico y el entrenador de baloncesto. Todos los años, yo hacía las pruebas para entrar al equipo. "Yo no puedo enseñar estatura", me decía y me dejaba fuera. Por su parte, la Srta. Cahill, la maestra de Ciencias, era joven, bonita, llena de vida y siempre agradable. Una vez llevó al grupo a visitar el Instituto Sienna y la Universidad Cornell, ambos en el norte del estado de Nueva York, para mostrarnos que no eran inalcanzables. Nos aseguró que trabajando duro, con un poco de suerte y alejándonos de los problemas, podríamos lograrlo. La Srta. Cahill estaba presente cuando Taína cantó aquel día en el coro. Fue ella quien dijo que en la voz de Taína todos podían ver a quien amaban y quién los correspondía. Yo me preguntaba, ¿a quién vio la Srta. Cahill? ¿A quién amaba? Yo sabía que yo amaba a Taína, así que deseaba oírla cantar. Oír a quien yo amaba cantar no solo para mí, sino para todos, de modo que mi amor no sería un amor egoísta. He visto a muchas parejas que se profesan amor en un universo donde solo caben ellos dos. Por el contrario, a través del canto de Taína, el mío sería un amor compartido por todos. Y si ella no me correspondía, no importaba, sería horrible, pero no importaba, porque yo podría seguir amándola de lejos, como mamá amaba sus viejas canciones de cantantes ya difuntos o las personas que aman cuadros que nunca estuvieron vivos o libros o poemas o estanques o parajes.

———

EL GRUPO DE la clase entró primero al Museo de los Nativos Americanos. Tenían varios artefactos indígenas, puntas de flecha, hachas de guerra y ropa confeccionada con pieles de animales. La Srta. Cahill nos guiaba por el lugar explicando esto y aquello, pero la mayoría de los muchachos hablaba sin cesar. Aun así, la Srta. Cahill estaba tan acelerada que dijo: "Piensen que alguna vez en Nueva York los indios estuvieron parados aquí mismo donde están ustedes ahora". Y alguien exclamó: *"Woopy... fucken... doo"*. Pero ella no se molestó porque alguien salió en su defensa: "Srta. Cahill, es un estúpido, no le haga caso". La Srta. Cahill se rió y dijo: "Miren al suelo, los indios se sentaban justo aquí con las piernas cruzadas y se contaban historias. En Nueva York antes de que fuera Nueva York. ¿Qué tal si escriben acerca de eso en su ensayo para la universidad?". Y la mayoría se miró los pies. BD y yo estábamos al fondo.

—¿Usmaíl? —preguntó BD mientras seguía mirando desde lejos las piernas de la Srta. Cahill... largas, delgadas y bronceadas—, ¿qué clase de nombre es ese?

—Es el correo, *United States Mail*, pero leído en español. —Le conté que había sido el Vejigante quien me lo dijo.

—Deja de mentir. Yo sé que eso no es cierto. Ese Vejigante no habla con nadie —dijo BD.

—Habla conmigo.

—Mi mamá dice que ese hombre solo sale de noche porque es marica.

—Y qué. El mundo está lleno de locas.

—¿Y no ha intentado nada contigo?

—No, es buena gente —le contesté.

BD miraba ahora el trasero de la Srta. Cahill. Ella usaba los trajes ajustados y, por la manera en que caminaba, las medias de nailon se rozaban. Si te fijabas bien, podías ver los puntos que se corrían y bajaban por detrás de sus piernas como cohetes. Volvía locos a todos, pero yo amaba a Taína.

—Ese tipo se me presenta y yo me quito el brazo y lo golpeo como si me debiera dinero —alardeó BD.

—Es un buen vejigante, nunca le haría daño a nadie —repliqué, aunque yo sabía que sí había hecho mucho daño—. BD, voy a tocar a la puerta de Taína después de clases y a decirle quién me envió. ¿Quieres acompañarme?

La Srta. Cahill y el Sr. Gordon querían que todos saliéramos porque íbamos a caminar por una parte de Manhattan para imaginarnos cómo habría sido cuando los indios caminaban por Wall Street.

—¿Para qué quieres que te acompañe, Julio? ¿No es lo que has estado deseando?

El grupo salió y BD encendió un cigarrillo tan pronto salimos. Manejaba su mano artificial como si fuera real. Nunca se le vio torpe haciendo algo.

—Tengo miedo, mano. Yo sé que esto era lo que quería, pero estoy asustado —le confesé a BD.

El grupo caminó por los alrededores de Wall Street topándose con callecitas secundarias adoquinadas provenientes del pasado de la ciudad y abarrotadas de gente.

—Antes se levantaba aquí una gran pared —dijo la Srta. Cahill—, de ahí proviene el nombre de la calle. ¿No es genial? Quizás quieran escribir acerca de eso en su ensayo para la universidad.

Pero nadie quería.

Una calle tenía una vieja barra donde alguna vez bebió George Washington. El grupo se topó entonces con un anciano barbudo parado sobre un cajón de leche con la bandera de los Estados Unidos a sus espaldas y un micrófono en la mano. *"Mientras nuestra civilización sea esencialmente una de propiedades, cercas y exclusividad, las ilusiones se burlarán de ella. Nuestras riquezas nos enfermarán"*, predicaba. Seguimos de largo.

La Srta. Cahill continuó guiando al grupo mientras todos los muchachos la seguían como cachorritos. Las niñas también adoraban a la Srta. Cahill. Admiraban su estilo y la forma de arreglarse el cabello. Parecía que los policías de esa área también conocían a la Srta. Cahill. Se la encontraban y la saludaban: "Hola, Megan". Y ella actuaba como sorprendida, cuando era obvio que conocía al policía. Pasamos por otra cuadra y otro policía le dijo: "Megan, Megan, ¿dónde has estado?". Hasta detectives en carros camuflados que pasaban se detenían y coqueteaban con ella. Con los policías cerca, los muchachos empezaron a ponerse tensos. La Srta. Cahill se percató de la ansiedad y de buena manera les dijo a sus amigos policías que no podía hablar en ese momento. Les dio las gracias amablemente y continuó guiándonos. Entonces, una de las niñas le preguntó:

—¿Le gustan los policías, Srta. Cahill?

Y ella respondió en un tono cordial:

—Eso no es de tu incumbencia.

El grupo siguió caminando.

—Mano, acompáñame —le pedí a BD.

—¿El tipo ese va a estar ahí? —preguntó él, fumando.

—No lo sé. Quizás.

—Yo no voy.

La Srta. Cahill detuvo al grupo en medio de la acera y miró a su alrededor.

—Imagínense los tipis, las fogatas, las pieles de animales secándose al sol, justo en este lugar —dijo agitada—, en lo que se convertiría en Wall Street. En lugar del metro debajo de nosotros, los indios pescando en el Hudson. Ese río era su supermercado. ¿Alguno de ustedes desea escribir sobre eso en su ensayo para la universidad? —Extendió los brazos como si pintara un paisaje.

El viejo Sr. Gordon solo seguía la corriente y uno de los estudiantes le dijo, bromeando: "Usted estaba allí, ¿verdad? Usted debe haber cazado con los indios, ¿no es así, Sr. Gordon?". Él solo sonrió, sabiendo que ya estaba muy viejo para estas cosas y solo contaba los días que le faltaban para jubilarse.

—No seas así —le rogué a BD, halando su brazo bueno.

BD se sacudió.

—¿Estás seguro de que es un gigante bueno? —preguntó, y le dio una larga jalada al cigarrillo porque íbamos a entrar a otro edificio que la Srta. Cahill quería que conociéramos.

—Digo, si tú quieres creer que Taína está diciendo la verdad —dijo, y dio otra jalada—, eso es una cosa. Pero yo no confío en ese viejo.

Entonces, la Srta. Cahill pidió a quienes estaban fumando que apagaran sus cigarrillos y todo el grupo entró en la Bolsa de Valores de Nueva York.

—Está bien. Te contaré todo sobre el Vejigante —le prometí a BD.

Un joven blanco con traje caro y corbata nos dio la bienvenida. En la pared estaba la bandera más grande de los Estados Unidos que yo hubiera visto. El guía condujo primero al grupo a lo que se conoce como "el corro" o *"the pits"*, en inglés, la arena de negociaciones donde un torbellino de gente grita y corre alrededor del piso cubierto por papeles desechados. Olía mal. Había una peste a sudor como si esos tipos trajeados no usaran desodorante. Sudaban a chorros, pero nunca se quitaban las chaquetas. Nuestro guía explicó lo que ocurría en el corro. Yo pensé que, en esencia, todo se reducía a que el pez grande se comía al pequeño, pero él lo hacía parecer apasionante.

—Estás loco, Julio. ¡Este tipo mató gente! —BD susurró con fuerza—. ¿Y tú pretendes que yo vaya? —Movió la cabeza, incrédulo.

—Eso fue hace mucho tiempo, BD.

—No me importa cuánto tiempo haga, ese tipo es un asesino.

Estábamos en el fondo, siguiendo al guía junto con el resto del grupo cuando Mario llegó. Metió un cómic de los X-Men en su bolsillo trasero y se paró al lado de nosotros.

—¿Sabes cómo le dice un *bartender* a un mexicano que acaba de cruzar el desierto? —le preguntó Mario a BD.

—¿Cómo? —le contestó este, intuyendo que sería desagradable.

—Un Martínez seco —espetó Mario, sabiendo que el apellido de BD era Martínez.

—¡Eh! Yo no soy mexicano, soy dominicano —aclaró BD.

—Todos ustedes son iguales, latinos de mierda —remató Mario.

—Realmente —añadí, nerviosamente—, el que seas italiano te hace latino, Mario. O sea, ustedes son los latinos originales.

Hasta BD me lanzó una mirada estúpida por establecer unos hechos frente a un tipo que podía molernos a palos por los cuatro costados.

—¿Y a ti quién te preguntó, *psycho*? —dijo Mario, y me dio un pescozón.

—Él no oye voces, él solo cree que la muchacha tiene razón —dijo BD.

—Claro —le contestó Mario—, ¿y tú oyes esta voz? —Se le acercó y susurró con fuerza—. Un día te voy a arrancar ese brazo y lo voy a lanzar al East River.

Luego, Mario se abrió camino a codazos hasta el frente del grupo para estar más cerca del trasero de la Srta. Cahill, que se comía con los ojos. Cuando terminó el recorrido, el guía nos dio a cada uno un folleto. En la portada tenía pegada con cinta adhesiva una reluciente moneda de cinco centavos.

—Incluso en esta recesión, las personas compran acciones —dijo el guía, levantando el folleto—. Así que, atesoren sus centavos. —Habló más despacio para asegurarse de que oyéramos bien y señaló el níquel pegado a la portada—. Esta moneda es su comienzo, jóvenes. Un generoso regalo de nuestra parte para que comiencen a ahorrar.

Verso 5

ME HABÍA DADO una ducha y estaba planchando mi mejor camisa cuando oí a mi madre hablando en voz alta por teléfono. Al otro lado de la línea había alguien de Radio WADO, una estación en español. Mamá repetía: "Lamento... Lamento... Lamento Borincano" como una petición y parecía que la estación de radio no tenía esa canción. "No... no... sí, Rafael Hernández", decía, pero la persona no la entendía. Yo tenía puesto mi mejor par de mahones, había mojado un trapo con aceite de bebé para pulir mis zapatos y estaba listo para ir a tocar a la puerta de Taína.

Mamá tapó con la mano el teléfono.

—¿Quién es Marc Anthony? —me preguntó.

—Es un cantante, Ma —le respondí, ya listo para salir.

—No, espérate. —Me dio el teléfono.

—Tengo que irme, Ma —le dije, pero ella me puso el teléfono en la cara—. Voy a llegar tarde a una obra de la escuela, Ma.

—Pídeles que pongan "Lamento Borincano", pero no por el Marc Anthony ese, sino por Rafael Hernández.

—*Okey* —protesté y me puse el teléfono al oído.

Mamá esperó.

Yo pregunté.

—Nada más tienen la versión de Marc Anthony, Ma.

—¡Ay, bendito! ¿Cómo es posible? Diles que la versión de los años cincuenta de Rafael Hernández es mejor. Ese es el verdadero himno de Puerto Rico —aseguró.

Se lo dije a la persona del otro lado de la línea.

Mamá esperó.

—Ma, la señora dice que ella es colombiana. Le importa un pepino.

—¿Colombiana? —dijo mi madre, incrédula, como si El Barrio fuera el mismo lugar que cuando ella era una niña.

Se oía hablar español, pero no era exclusivamente de Puerto Rico. Era un español ecléctico, salpicado de diversos tonos y ritmos procedentes de todas partes de América. El Barrio de mamá ya no existía y quizás ese era otro motivo para amar las canciones viejas.

—Ma, ella no es boricua —le dije.

—¿Cómo puede trabajar en Radio WADO y no ser boricua? —mamá se preguntaba a sí misma.

Entonces, oí la voz de la mujer al otro lado de la línea, chirriando como un insecto, así que volví a pegarme el auricular a la oreja.

Asentí con la cabeza, como si ella pudiera verme.

—Ma —le dije una vez más, tapando el teléfono—. La señora dice que encontró una versión de *Lamento* cantada por Shakira. ¿Quieres oír esa?

—¿Quién es esa? —Antes de que pudiera responder, mamá abanicó el aire—. Olvídalo, olvídalo. Yo no quiero a Shakira. Yo no quiero a Marc Anthony. Yo quiero la que oirían mis padres. —Mamá pataleó como una niña malcriada—. Quiero oír "Lamento Borincano" por Rafael Hernández.

"Lamento Borincano" es una canción que mi madre adoraba porque sus padres la adoraban; y yo la adoraba también, supongo. Es acerca de un campesino, un jibarito puertorriqueño que planea alegremente vender sus frutos en la ciudad y, con ese dinero, comprarle un nuevo vestido a su esposa. Pero, cuando llega, la ciudad está desierta y el mercado, vacío. Una depresión aqueja a la isla y muchos puertorriqueños se han ido a los estados continentales. Mamá esperaba ansiosa la parte que decía: "¿Que será de Borinquen, mi Dios querido?".

—Ma, me tengo que ir. De verdad me tengo que ir —le dije. Ella se quedó mirándome con recelo por la forma que estaba vestido. Comencé rápidamente a inventar excusas—. Es una representación especial en la escuela. No quiero que la gente me vea en tenis. Es una ópera de Shakespeare —le dije, sabiendo que el nombre inglés la impresionaría y claro que Shakespeare nunca escribió óperas.

Con una sola mirada, mamá me dijo que no fuera a ninguna parte. Me quitó el teléfono. Le dijo a la señora del otro lado de la línea que su esposo quería hablar con el gerente de Radio WADO.

Mamá gritó el nombre de mi padre. Mi padre ecuatoriano estaba en el dormitorio tomando una siesta. No encontraba trabajo y estaba muy deprimido. Mi padre se levantó y fue a la sala. Mi madre le ordenó que hiciera que Radio WADO tocara su canción, porque ellos respetarían la voz de un hombre más que la de una mujer o la de un niño.

Entonces, se volvió hacia mí.

—¿Desde cuándo tú te arreglas tanto?

—Es un *show* especial.

—¿Tú me estás diciendo mentiras?

—No, Ma —le dije—. Me tengo que ir.

Ella estudió mi cara, sus ojos se enfocaron en los míos, sus hombros se tensaron y su cabeza se inclinó un poco.

—Ma, no quiero llegar tarde —dije, porque el plan era tocar a la puerta de Taína temprano—. Volveré antes de las diez —le aseguré.

—Tú no vas a ver a esas mujeres, ¿verdad?

—Ma, ya te dije que no lo haría.

—Aunque no abran la puerta, no vas para allá, ¿verdad?

—No, Ma.

—La Taína esa es un peligro, Julio. Y su madre...

—Ya sé, Ma. Ya lo sé. ¿Me puedo ir ya? —le dije, molesto.

—Esa mujer está loca. Esa Inelda Flores está loca. Yo la conocí hace años y ya estaba loca.

—Sí, sí, sí, ya lo sé. Ya me lo contaste.

Mamá bajó los hombros, inhaló y exhaló fuerte, me abrazó y me besó en la cabeza.

—Ok, diviértete —me dijo.

—Ma —le dije, con mi mejor sonrisa—, ¿me puedes dar veinte dólares?

—¡Qué! —Mi madre era tacaña. Mi padre dice que cuando mamá se levanta, busca debajo de la cama para ver si perdió algo de sueño.

—¿Tú crees que yo soy un judío buena gente?

—Yo lavé la ropa esta semana —negocié.

La verdad es que pude haberle robado dinero fácilmente porque mi madre no confía en los bancos. Cambia sus billetes de a uno por billetes de a cinco, los de cinco por de a diez, los de diez por de a veinte y estos por de a cien. Entonces enrolla todos los billetes de a cien en tubitos y los esconde dentro de una bota vieja en el clóset. Mi padre piensa que eso es una locura. Un incendio acabaría con nuestros ahorros de toda la vida. Mamá dice que es seguro porque el incendio nunca llegaría al clóset, es el humo lo que mata y el dinero no necesita oxígeno.

—No tengo. Que te diviertas. —Mamá volvió a despedirse con un beso. Estaba a punto de salir cuando mi padre colgó el teléfono. Era todo sonrisas. —Van a ponerla.

—Por fin. —Mamá levantó los brazos—. Por fin voy a oír "Lamento Borincano" cantada por Rafael Hernández.

—¿"Lamento Borincano"? —Mi padre arqueó las cejas—. Yo pedí "Guayaquil de Mis Amores" por Julio Jaramillo, de Ecuador —dijo, y se sentó feliz de la vida en el sofá a esperar su canción.

SOLO TENÍA QUE bajar ocho pisos en el ascensor, hasta el segundo. Llegué al 2B. Muchas veces había hecho este recorrido y siempre había sido en vano, pero esa noche sabía que algo pasaría. Pegué la oreja a la puerta de Taína como lo había hecho tantas veces. Nunca escuchaba nada. Pero esta vez, esta vez escuché un sonido parecido a hojas que se estrujan. La puerta se estremeció también, como si hubiera un fuerte viento detrás. Escuché susurros y más susurros, como de muertos hablando. Comencé a sentirme liviano, como si pudiera flotar o si el pasillo se estuviera moviendo. Me acerqué a la mirilla para ver si alguien estaba mirando hacia afuera, pero no vi que escapara luz alguna. Me sequé el sudor de la frente y permanecí allí parado. Esperé este momento como un labrador que espera ser acariciado y ahora tenía miedo como si hubiera fantasmas del otro lado.

No sabía qué más hacer, así que grité alto en inglés:

—*Usmaíl sent me.* —Y luego lo dije en español—: Me mandó Usmaíl.

Repetí: *Usmaíl, Usmaíl*, y pronto se oyó el ruido de la cerradura. Mi corazón estaba conmocionado, parte de mí quería salir corriendo como un cometa impetuoso.

Verso 6

LA PUERTA SE abrió solo un poco, con la cadena todavía echada. Una nariz y un ojo se asomaron. El ojo me examinó de arriba a abajo. Una voz femenina preguntó:

—¿Te mandó Sal?

Asentí con la cabeza, aun cuando el Vejigante me había advertido que dijera que había sido Usmaíl. La puerta se cerró, quitaron la cadena y la puerta se abrió de par en par. Doña Flores no dijo nada, solo me invitó a pasar con el simple gesto de abrir la puerta. Al entrar, busqué a Taína, pero solo podía ver un pasillo pequeño y oscuro, y el lugar olía a café.

Doña Flores me condujo a la sala, donde yo estaba seguro que encontraría a Taína sentada en el sofá, mirando televisión, leyendo, o quizás era ella la que estaba colando café. Las luces eran tenues y las cortinas estaban cerradas. La sala estaba vacía, con la excepción del sofá, cubierto de plástico brillante, y un *love seat*. Había una mesa y un cuadro de frutas colgado de la pared, nada más. Tenía la seguridad de que tendrían un estéreo, una pila de discos viejos o un iPod conectado a un *boombox* o algo así. Yo sabía que Doña Flores también había sido cantante. Ella había sido bendecida con una gran voz y, al igual que Taína, cantaba. Me había imaginado su casa llena de detalles musicales, pero lo único que había era un silencio sepulcral.

Doña Flores hizo un gesto para que me sentara. Yo tenía la esperanza de que el sonido del plástico al plegarse resonaría fuerte y Taína oiría que había invitados. Me dejé caer con fuerza para que el plástico rechinara. Nadie apareció y la casa se sintió todavía más oscura. Doña Flores se sentó frente a mí en el *love seat*. Sus movimientos eran bruscos, sin gracia, opuestos a los que yo recordaba de su elegante hija. Estaba descalza y vestía una bata larga. Tenía el pelo grisáceo, recogido en un moño, y la cara grasosa, sudorosa y arrugada. Busqué rasgos de Taína en su rostro. Busqué los ojos resplandecientes como lagos de Taína, pero solo vi a una mujer con las facciones ajadas, con la que el tiempo había sido más implacable que con mi madre.

Doña Flores miró a la pared y me dijo:

—Antes, a las personas que predecían el futuro las llamaban profetas, ahora, las llaman locos.

—Claro —acepté, porque quería quedarme allí el tiempo suficiente para poder ver a Taína, que tendría que estar en algún lugar.

—Oh no, no hablaba contigo, m'ijo.

Doña Flores, igual que mi madre, mezclaba el español y el inglés cuando le parecía. Me dijo que sentía lástima al verme parado al lado del buzón, con la vista fija en su ventana, como un perrito abandonado bajo la lluvia.

—Bendito, parte de mí de verdad quería abrir la ventana y gritarte que te fueras a casa antes de que te asaltaran. —Se rió un poco—. Y ¿cómo está tu mamá?

—Bien.

Busqué algún rastro de Taína por toda la sala vacía. Había una puerta que daba hacia un dormitorio. Si Taína no estaba durmiendo, de seguro nos estaría oyendo detrás de esa puerta.

—Tu madre y yo —El rostro de Doña Flores reflejaba el recuerdo de tiempos felices, supongo— éramos muy buenas amigas.

—Sí, lo sé, Doña —le dije.

—Me expulsaron, así que tu madre no me habla ya. —Otra vez miró a la pared—. Pero, ay, bendito, qué se puede hacer, Jehová.

Yo no le di mucha importancia, porque la gente que habla con Dios y con las paredes son iguales. Digo, porque ni la pared ni Dios les van a contestar. Además, yo tenía mis visiones, así que también tenía techo de cristal; no podía tirar piedras a nadie.

—¿Taína está en casa? —pregunté cortésmente.

Doña Flores se puso de pie.

—¿Quieres café, m'ijo?

—Sí.

No me gustaba el café, pero suponía que era solo cuestión de tiempo que saliera Taína. La sala estaba vacía, pero yo podía sentir el polvo de sus células muertas, las hebras sueltas de su cabello, sus huellas estaban por todas partes. Seguro que tomaba la siesta donde yo estaba sentado. Yo buscaba objetos que ella indudablemente vería o tocaría. Mis pies pisaban el suelo por donde ella caminaba. Podía sentir su presencia, y eso me hacía feliz.

Doña Flores regresó de la cocina sosteniendo una taza.

—Gracias. —Acepté el café.

—Salvador me contó que tú sabías el nombre del bebé.

—Sí —dije sin probar un sorbo—. Usmaíl.

—Tú sabes que Salvador es como mi Tate. —Se sentó con una taza en la mano.

—¿Como Taína? —le pregunté, sabiendo bien que *Tate* era su manera maternal de llamar a Taína.

—Sí, Tate y Salvador son santos.

—Taína lo es —contesté, porque santo es en quien uno desee creer—. Yo sé que Taína canta, que canta muy bien. Quizás podamos... —Me fui apagando porque a Doña Flores no le gustó que yo disintiera de ella en alguna medida.

Me quedé callado. Ella tomó un largo sorbo y me dio la impresión de que hablaría por un rato.

—Primero, m'ijo, Salvador también es un santo. A él no le gusta que le digan El Vejigante, pero lo acepta porque ha sufrido. Dios mío, si ha sufrido ese hombre. Como todos los santos, ha sufrido.

Lentamente me guió a través de la juventud del Vejigante. Cuánto había sufrido, decía ella. Que su padre los abandonó cuando Salvador tenía seis meses de edad. Su madre fue a parar con él a la Casa Isla de Pobres en Mayagüez, Puerto Rico. La madre de Salvador trabajaba como sirvienta de las monjas. Comían juntos en el mismo salón, mayormente papas hervidas, plátanos y pan, todos servidos en distintas variaciones dependiendo del día. La casa tenía puertas de hierro cerradas con llave y verjas alambradas, interminables pasillos oscuros y las monjas como silencioso telón de fondo. Estas mujeres mantenían siempre la mirada baja y solo alzaban los ojos cuando era necesario castigar a los huérfanos. Era una casa silenciosa de murmullos y siseos, una casa donde hablar causaba conmoción. Pero, por la noche, cualquiera que estuviera afuera podía oír los alaridos lunáticos de quienes se habían vuelto locos, el sufrimiento de los indigentes, el gemido de los moribundos y los sollozos de los niños perdidos y olvidados. Cuando Salvador cumplió los nueve años, su madre conoció a un pastor pentecostal que se los llevó a Nueva York, donde comenzaron problemas de otra índole para Salvador.

Doña Flores miró otra vez a la pared, pero no le dijo nada a lo que fuera que estaba viendo. Entonces se volvió hacia mí.

—Lo que pasó después en Nueva York, cuando él tenía más o menos tu edad, en el parque infantil —dijo, siguiendo mis ojos, que iban a parar siempre a la puerta que, inequívocamente, era del dormitorio de Taína—, el era solo un muchacho ignorante. Salvador ni siquiera sabía leer o escribir como un santo. Fue una víctima, igual que esos niños esa noche.

—Claro, era solo un niño —le dije, aunque yo no estaba totalmente de acuerdo.

—Igual que mi Tate, Salvador no ha hecho nada malo.

—¿Cómo lo sabe? —pregunté, apartando la vista de la puerta de Taína.

Me había tomado todo este tiempo darme cuenta de que Taína no iba a salir. Doña Flores me la estaba escondiendo. Su tono de voz indicaba que ella sabía lo que yo deseaba, pero primero yo tenía que dar algo a cambio. Yo no sabía de qué se trataba. Ella me contaba cosas sobre el pasado del Vejigante para escudriñarme. Doña Flores debía haber notado que yo estaba temblando. Había estado soñando con ver a Taína por tanto tiempo que parecía eterno y todo lo que tenía en frente era la puerta de su habitación.

—Yo sabía que estabas ahí —dijo.

—¿Dónde?

—De noche, detrás de nosotros. Salvador también. Tú sabes que él solo sale de noche —me dijo, sosteniéndome la mirada—. ¿Tú quieres ver a mi hija? —dijo despacio y asintiendo con la cabeza, como si supiera un secreto que no me iba a contar—. ¿Quieres ver a Tate, ah?

—Así es —le dije, como si diciéndolo ella le diría a Taína que saliera.

—¿Quieres oír cantar a Tate?

—Sí —repetí, emocionado, y le confesé a Doña Flores lo que no podía decirle a nadie, pero que yo sabía que era verdad—. Creo que la amo.

Doña Flores no se burló. No dijo "¿Qué sabes tú del amor, si solo eres un niño?" o "¿Con qué vas a alimentar al bebé? ¿Con nieve?" o "¿Ni siquiera puedes dormir sin babearte y estás enamorado?". No dijo ninguna de esas cosas, como hubiera dicho mi madre. Por el contrario, Doña Flores enderezó la cabeza, dejó su café, se cruzó de brazos y volvió a mirar a la pared.

—Yo quiero hablar con ella; decirle lo que ha pasado con su cuerpo, en el fondo de su cuerpo —le expliqué.

—¿Qué, m'ijo? —Volteó la cara de un lado y solo me mostraba su perfil, la mitad de los labios, un ojo que me leía, que buscaba algo.

—Una revolución —especifiqué.

—¿Una revolución?

Le conté lo que yo estaba seguro que había pasado en un mundo interno lleno de electricidad. Le describí lo mejor que pude el mundo cuántico del cual había leído y que había visto en programas de televisión y estudiado en la clase de ciencias, un mundo plagado de paradojas y otras dimensiones. Que el espacio interior no sigue las mismas reglas de nuestro universo grande. Que las cosas que existen en el espacio interior no están atadas a un lugar o a una definición. Los átomos, los cuales le dije que lo componen todo, viven en un universo interno que no sigue las mismas reglas que nosotros. La gravedad no tiene fuerza en su mundo, como tampoco la luz o la velocidad. Le dije que los átomos a lo mejor incluso tenían su propio Dios. El universo interno que pertenecía al cuerpo de Taína era de donde viene Usmaíl.

—Se desató una guerra en su cuerpo...

Doña Flores me interrumpió, riéndose.

Reía y reía. Ella era una mujer que hablaba con las paredes, pero no me importó.

—Taína necesita un ultrasonido —le dije, cambiando el tema—, para asegurarse de que el bebé esté sano, para examinar su columna; y necesita clases de Lamaze para los ejercicios de parto; y necesita...

—Yo di a luz sin ninguna de esas cosas, m'ijo —contestó un poco molesta.

Lo dejé pasar, porque quería que me volvieran a invitar.

Volvió a murmurarle algo a la pared. Esperó la respuesta y supongo que la obtuvo.

—Solo Peta Ponce —me dijo—. Peta Ponce puede sacar a la luz la verdad. Lo que le pasó a Tate. Qué le pasó a Tate, solo Peta Ponce puede.

—¿Quién? —le pregunté, pero ella se puso de pie y se llevó mi taza de café; estaba a punto de echarme a patadas.

—Peta Ponce. Peta Ponce puede hacer que Tate vuelva a cantar. Si tú quieres ver a Tate —me dijo—, Salvador dijo que tú podías hacerlo.

—¿Hacer qué? —le pregunté.

Se pasó la lengua por los dientes y lanzó un suspiro.

—Mira a tu alrededor, Juan Bobo. —Me llamaba con el nombre puertorriqueño del idiota del pueblo. Miré a mi alrededor, pero no vi nada aparte de la sala vacía y oscura. Doña Flores puso los ojos en blanco—. Salvador dijo que tú podías conseguirnos el dinero para traer a Peta Ponce.

En ese instante oí la puerta del baño entreabrirse. Me puse de pie y miré hacia allí. Un sutil rayo de luz iluminaba el piso como si alguien hubiera dibujado una línea amarilla con tiza. La línea se hizo más gruesa y, a través de la puerta medio abierta, vi a Taína. Llevaba puesta una bata transparente carcomida por la polilla. No sabía que tenía un pequeño lunar marrón oscuro en el muslo izquierdo. Me quedé pasmado y me dio escalofríos ver su vientre tan grande, sus pechos hinchados. Podía sentir los latidos de mi corazón. No escuché música, pero vi círculos que creaban círculos que colisionaban con lunas y estrellas. Vi todos esos colores, como si me hubieran dado un puñetazo en el ojo y tuviera fuegos artificiales dentro del iris. Deben haber sido solo segundos, pero mis ojos pudieron captar todos los detalles. Taína volteó la cabeza y me sorprendió ahí parado, comiéndomela con los ojos como un idiota.

—¿Qué carajo mira, puñeta? ¿Qué? ¿Nunca ha visto una chocha? —dijo, y cerró dando un portazo.

Verso 7

NO FUE DIFÍCIL averiguar dónde vivía el Vejigante. En El Barrio muchos habían oído hablar de un viejo alto que solo salía de noche. Solo tuve que preguntar. En poco tiempo, llegué a uno de los pocos edificios sin ascensor que quedaban en la 120 y la Primera Avenida. Toqué a la puerta del sótano y, por el contrario de la de Doña Flores, esta se abrió enseguida. El Vejigante estaba en *shorts*, con una camiseta que decía *"Pa'lante, Siempre Pa'lante"*. Llevaba calcetines negros y estaba comiendo un tazón de *corn flakes*. Un anciano flaco comiendo y feliz de verme.

Sostuvo el tazón con una mano y con la otra se protegió los ojos del sol.

—¡Eh! papo, pasa. Pasa. Gracias por visitar a este viejo.

El lugar era un descomunal vertedero oscuro.

—¿Quieres un cuchillo? ¿Una barreta? Tengo un bate de béisbol...

—No, Salvador. —Lo llamé por su nombre real porque ya había pasado mucho tiempo desde que hizo todas las cosas que había hecho—. Yo confío en usted y sabe por qué estoy aquí.

Todo en su diminuto apartamento de sótano estaba deteriorado. Los pisos, desnivelados, y había solamente dos ventanas que daban a la calle de arriba, por donde se veían los pies de las personas que caminaban por allí. Sin embargo, había un agradable olor a lavanda, como en algunas botánicas. Un pequeño pasillo conectaba la cocina a la sala y, apilados contra una pared, había montones de libros y televisores rotos sin enchufes ni perillas. Los televisores estaban apilados unos sobre otros y no estaban cubiertos de polvo; seguro que los limpiaba con Windex todos los días. Había un sofá roto y de la pared colgaban fotografías de paisajes de Puerto Rico. Pero fueron las cortinas con gatitos y flores las que me revelaron que esta había sido la casa de su madre.

—Oye, ¿quieres habichuelas?

Dejó su tazón, caminó dos pasos hacia la cocina y me mostró unas latas repartidas por el gobierno.

—No, estoy bien.

—Mira, tengo queso, tengo leche en polvo, le puedo agregar agua y prepararte un bol de *corn flakes*... Tengo... tengo... jamón. ¿Quieres un sándwich?

—No, estoy bien.

Había estado tantos años en prisión que de seguro siempre tenía hambre, así que supuse que pensaba que los demás también debían tener hambre.

Su diminuto apartamento tenía que parecerle la boca de una ballena comparado con una celda. Pero era mejor que vivir con ratas y cucarachas como compañeros de cuarto, en un lugar donde la luz se iba siempre a la misma hora. Se veía todavía más pequeño a causa de un antiguo piano de madera que ocupaba casi todo el espacio. Estaba contra la pared y las teclas de marfil amarillentas parecían la dentadura de un anciano.

—¿Usted toca? —le pregunté, señalando al piano.

—Algunas veces. Como ves, llevamos la música en la sangre —dijo alegremente y dejó las latas—. ¿Quieres oír algo? Puedo tocar algo. No está afinado; las teclas de Fa y Mi se atascan, *you know*, arruina los sostenidos y bemoles, pero el resto funciona bien, *¿you know*, papo? ¿Quieres oírme tocar?

—Usted sabe por qué estoy aquí —le dije, aunque quería oírlo tocar.

—Por lo del dinero, ¿verdad?

—Sí, ¿cómo puede decirles que yo podría conseguir el dinero si todavía estoy en la escuela? ¿Y qué papel juega la madre de Taína diciendo que yo tengo que pagar para ver a su hija?

La joya del sótano era un disfraz de vejigante rojo brillante, blanco y amarillo. Estaba colgado al lado de la puerta del clóset y parecía que había otra persona con nosotros. Recordé haber visto ese mismo disfraz en el Desfile puertorriqueño del año pasado porque tenía el mismo botón de tema político que decía "¡Puerto Rico Libre!".

—Yo no te mentí, papo. —Salvador se sentó en el viejo sofá y sus rodillas casi le llegaban al pecho.

—Sí, mintió. Lo sé porque yo les miento a mis padres todo el tiempo.

Me quedé parado mirando el disfraz de vejigante. La capa y el traje estaban hechos de la misma tela colorida, mientras que la gran máscara con cuernos —un montón de cuernos saliendo por todos lados— era de papel maché. Podría jurar que el disfraz se movía.

—Mira, papo, yo conozco a estas mujeres porque Inelda es mi media hermana.

—Taína es...

—Mi sobrina, sí, así son las cosas, papo.

—¿Cómo es Taína? —pregunté, emocionado.

—Es una niña, es como tú.

—Sí, *okey*. Pero, ¿qué le gusta, de comida y eso?

—Lo mismo que te gusta a ti.

—A mí me gusta la pizza. —Me encogí de hombros.

—Entonces, a Taína también le gusta la pizza.

—*Okey*.

—Mira, papo, lo único que mi hermana quiere es unos cuantos cientos de pesos por aquí y por allá para cubrir lo que no alcanza a pagar el cheque del *welfare*. ¿Tú me entiendes, papo? —Parecía avergonzado, como si estuviera pidiéndome perdón o no se mereciera la atención de nadie—. Lo que Inelda quiere es una buena cama porque le duele la espalda y un televisor porque le gusta ver novelas. Pero, más que nada, lo que mi hermana quiere es que esta famosa espiritista de Puerto Rico venga a su casa, y no se le puede pagar a una espiritista con los cheques de WIC.

—¿Peta Ponce?

—Esa misma. A Peta Ponce la conocen en todas partes y cuesta mucho dinero. Ella es la mejor.

—¿Qué quiere decir?

—Peta Ponce —dijo, persignándose— tiene el poder de confundir al tiempo. Los espíritus le cuentan todo, le dan el poder de trastocar y transformar los sentimientos. Tú sabes, convertir la tristeza en alegría, la vergüenza en amor.

—*Wow*, eso parece extraño.

—No, son cosas serias, papo. Inelda la conoce y también tu... ¿estás seguro de que no quieres algo de comer? —dijo, caminando dos pasos hacia el pequeño y viejo refrigerador; lo abrió y miró adentro, como si estuviera orgulloso y contento de tener comida, y lo cerró.

—¿Cómo es que Doña Flores conoce a esta espiritista?

Volvió a sentarse, suspiró hondo como si lo necesitara.

—Peta Ponce ayudó a mi hermana después de su embarazo, y a tu... —se humedeció los labios con la lengua y cambió de parecer.

Seguía enredándose y deteniéndose. Así que volví a preguntarle.

—¿Mi qué? ¿Mi qué, Sal?

Silencio absoluto.

Esperé.

Me quedé mirando su disfraz de vejigante, su única conexión con la luz del día.

La primera vez que alguien vio a Salvador fue durante el desfile puertorriqueño del año pasado. Desfiló con este disfraz. Era tan alto que no necesitaba zancos. Desfiló con elegancia y fluidez. Este vejigante natural, elegante y ágil, desfilaba cerca de las gradas donde la gente animaba el desfile agitando en las manos las banderas puertorriqueñas. Todos pensaban que dentro del disfraz había un muchacho joven; pero, cuando terminó el desfile, Sal se quitó la máscara de vejigante y vieron al anciano. Todos se rieron y a Salvador no le importó, él se rió con la gente. En un abrir y cerrar de ojos, ya era parte del vecindario, otro ermitaño excéntrico de El Barrio que solo salía de noche. Nadie aparte de mí conocía su pasado, y eso era únicamente porque él había querido que yo lo supiera.

—¿No puede simplemente presentarme a Taína? ¿Usted sabe que yo quiero ayudar? —le dije.

—No puedo, papo.

Me alegré de que estuviéramos hablando de nuevo.

—¿Por qué?

—Porque tú eres el único, papo, que puede conseguirle dinero a mi hermana para que traiga a la espiritista a Nueva York.

—Lo tiene a usted —le dije.

—¿A mí? Mírame —dijo, sin rastros de tristeza o de lamento, como si hubiera aceptado las cartas que le tocaron—. Soy un viejo. Soy un viejo que vive en la casa de su difunta madre, la renta se paga con lo que queda de su Seguro Social. Yo como lo que me da el Tío Sam a través de las iglesias. Inelda —Siempre llamaba a la madre de Taína por su nombre de pila— no está mucho mejor que yo y tiene una hija embarazada. Tú eres su única opción, papo. Solo tú.

Por más pelados que mis padres estuvieran, en casa siempre había comida y otras cosas. Aun cuando mi padre perdió su trabajo, nunca recibimos dinero de asistencia social. Mi madre juró que nunca dependería del *welfare*. Ella siempre ha sido una mujer trabajadora a mucha honra que nunca ha recibido un centavo del gobierno; al contrario, el gobierno le quitó mucho. Pero Doña Flores, Taína y Salvador eran el "pegao" en el fondo de la olla.

—*Okey*—le dije—. Pero, ¿cuánto necesita?

—Cien pesos por aquí y por allá, papo. Para comprarle cositas al bebé, tener la casa *ready* para cuando llegue el bebé —dijo como si no fuera nada, aunque para mí, cien dólares aquí y allá era muchísimo—. Y cinco mil para la espiritista.

—¡Está loco! —Alcé las cejas—. ¡Cinco mil! ¡No hay forma de que pueda conseguir esa cantidad! *No way!*

—Yo te voy a mostrar cómo. Es una manera de cuidarte solo.

—*Okey*, ¿cómo? —le dije—. ¿Me va a conseguir un empleo?

—No —me contestó.

En ese preciso momento, el disfraz que estaba colgado junto al clóset cayó al piso. Colapsó como si hubiera sido un hombre flaco que perdió su esqueleto de repente y simplemente se desplomó. Únicamente la colorida máscara con cuernos se quedó colgada porque había un clavo sobre la puerta que la sostenía.

—Ese gancho está doblado —explicó Salvador—, siempre se está cayendo. —Fue a recoger su disfraz—. El vejigante viene de la España del siglo xii, ¿sabes, papo? Santiago Apóstol derrotó a los moros. —Comenzó a inspeccionar el disfraz y a quitarle un poco el polvo—. En España, los vejigantes representaban a los moros. Aterrorizaban a la gente, así que su única salvación era la Iglesia Católica, o enfrentar a los musulmanes. Cuando los españoles conquistaron Puerto Rico, heredamos sus demonios, pero nosotros abrazamos a los musulmanes. Pusimos a los musulmanes en nuestros desfiles, convertimos a los vejigantes de algo terrible a algo verdaderamente grandioso. —Volvió a colgar el disfraz en el gancho.

—Usted es muy listo —le dije—. ¿Por qué mató a esos muchachos?

Otra vez se impuso el silencio.

A Salvador no le gustó mi pregunta. Cuando me recibió, parecía un niño, y ahora se veía ojeroso y demacrado como el anciano que era.

—Lo lamento, papo. —Encorvó sumisamente los tímidos hombros y la saliva se acumuló en la comisura de su boca—. Olvidé para qué habías venido.

—Está bien, ya me tengo que ir.

Me sentí estúpido por preguntarle de nuevo sobre esa noche en el parque de juegos. Le estaba poniendo la zancadilla para que me dijera algo de lo que él no quería hablar. Nada lo obligaba a hablar. Había pasado años en prisión y había cumplido su condena. Y yo me sentía verdaderamente estúpido también porque no había manera de que pudiera conseguir cien pesos por aquí o por allá, ni hablar ya de cinco mil para esa espiritista para que Doña Flores me dejara ver a Taína. Aunque sabía dónde mi madre escondía su dinero y planeaba robárselo.

—No es su culpa —le dije—. Yo solo quiero ayudar a Taína, eso es todo.

—Papo, yo puedo mostrarte cómo conseguir el dinero. Es una estafa. Yo estoy viejo, pero cuando yo tenía tu edad, cuando yo era... —Hizo una pausa, pero volvió a decirlo— el Capeman, yo mismo lo hacía.

Se me quedó mirando de la misma forma que lo hizo cuando nos conocimos, sopesando si debería decírmelo, con los ojos color avellana, fríos y hastiados como los de alguien que ha visto la muerte del amor.

—Yo solo salgo de noche, papo... —dijo en tono dócil. Había regresado a un pasado que lamentaba—. El día... —Su cara estaba bañada por las lágrimas aunque sin el sonido del llanto. Volvió a sentarse en el sofá y ocultó con las manos su cara llorosa—. Después de lo que hice esa noche —su voz amortiguada por las palmas—, la luz del día, papo... me deshonra. La luz del día me deshonra.

DÍAS DE PERRO

No tengo recuerdos detallados, pero poseo vagas y muy subconscientes sensaciones de que ocurrieron cosas terribles, cosas que ningún hombre vivo y mentalmente despierto soportaría presenciar, y mucho menos experimentar.

—FELIPE ALFAU, *LOCOS*

Verso 1

EL BARRIO Y el Upper East Side coexisten uno junto al otro, como el príncipe y el mendigo. La Quinta Avenida del Upper East Side es la Costa Dorada. En sus calles se alinean edificios con porteros elegantes y estrellas de cine y personalidades influyentes como residentes. Central Park es su patio. El Barrio es otra historia, lleno de proyectos, viejos edificios deteriorados y nuevos apartamentos de alquiler, de construcción barata pero alto costo, donde la mayor parte de los nuevos residentes son jóvenes blancos profesionales. Yo podía caminar fácilmente desde el edificio de mi proyecto en la Calle 100 y la Primera Avenida y pasar de pobre a obscenamente rico en diez minutos. Podía caminar por la Quinta Avenida y ver a las jovencitas con sus vestidos veraniegos, los muchachos de mi edad con pantalones caquis, camisas blancas y *blazers* con la insignia de la escuela pegada al bolsillo de la chaqueta. Había soñado con vivir sus vidas, en sus edificios, en sus vecindarios, quizás con Taína y el bebé a mi lado. Quería saber a dónde iban.

A qué edificio con portero llamaban hogar. Qué ascensor que funcionaba los llevaba a las alturas para contemplar las maravillosas vistas de esta ciudad.

Salvador lo llamaba ir de cacería. Decía que estaba bien porque no le hacíamos daño a nada ni a nadie y que esa gente adinerada que vivía en Park Avenue o en la Quinta Avenida había nacido en cuna de oro. Estaban forrados de dinero y con toda probabilidad sus abuelos o bisabuelos habían destruido vidas o matado a buena parte del planeta con el fin de adquirir su riqueza. Todo lo que yo estaba haciendo era recobrar un poco de lo que alguna vez perteneció al "pueblo" del cual la ciudad no se ocupaba y, por tanto, teníamos que valernos por nosotros mismos.

Todo lo que yo deseaba era que Doña Flores me permitiera visitarlas de nuevo.

—¿Quieres ir de cacería? —le pregunté a BD.

—¿Qué carajo es eso? —me contestó, sabiendo que no era realmente lo que parecía.

—Agarramos una bolsa para la ropa sucia y un cuchillo y caminamos por las calles del Upper East Side buscando un perro faldero que esté amarrado a un poste de alumbrado o algo así, mientras el dueño está dentro de algún sitio tomándose un café o algo. —Lo dije exactamente de la forma en que Salvador me lo había explicado—. Fuera de los salones de belleza, los cafés y las oficinas de correo, todos sitios buenos.

—¿Y? —BD se encogió de hombros.

—Desatamos al perro o cortamos la correa y metemos al perrito en la bolsa y corremos —le dije.

BD sacó un Jolly Rancher con su brazo real y empezó a chupar el dulce. No me dio uno.

—Yo me llevo el perro a casa, lo alimento, lo saco a pasear y lo cepillo. Dos o tres días después, tú y yo examinamos las mismas calles de donde nos llevamos al perro y buscamos los volantes de las recompensas. —Cuando BD oyó eso, dejó de chupar el Jolly Rancher y se le iluminó el rostro; su lengua estaba azul como el cielo.

—Eso es una locura. ¿Funcionará?

—Claro que sí. Esa gente adora a sus perros.

—Los perros muerden, Julio. Yo no sé...

—No vamos a llevarnos un pastor alemán; lo haremos con un perrito faldero, estúpido.

—¿Cuánto podemos ganar? —Estaba feliz de que BD aceptara.

—No sé. ¿Quinientos, trescientos cincuenta por perro, quizás?

A BD le gustó la idea.

—Ok, pero sabes que ni mamá ni nadie más pueden enterarse nunca.

—¿A quién se lo voy a decir? ¿A la policía? —dijo, como si hubiera sido algo estúpido que yo siquiera lo mencionara—. Oye, ¿y cómo te fue el otro día? ¿Viste a la zorra esa?

—¿En serio, BD? —Le puse cara.

—Está bien, está bien. —Sacó un Jolly Rancher y me lo dio—. ¿Viste a Taína?

—Un poquito.

—¿Habló?

—Sapos y culebras.

—¿Cantó?

—No, pero ya lo hará.

—Yo creo que tú estás loco. Ella no puede estar embarazada sin que alguien la montara.

—Entonces —le dije, moviendo el dulce para un lado de la boca—, ¿por qué tú vas todos los domingos a la iglesia con tu mamá?

—Ya te dije, Dios es hombre y, como a todos los tipos, le gusta preñar a las muchachas también. ¿Por qué es tan difícil de entender eso?

—Olvídalo. Estás en esto conmigo, ¿verdad?

—*Sip*, suena divertido. Me apunto —asintió BD.

—Muy bien, pero espera, todavía hay más.

—Sí, sí, ¿más dinero? —preguntó BD como si ya estuviera pensando lo que iba a comprar con su parte del botín.

—Vamos a necesitar a tu hermanito Ralphy.

BD y yo hicimos exactamente lo que me indicó Salvador que hiciera. Peinamos las calles adineradas del Upper East Side en busca de un perrito faldero que hubieran dejado solo afuera. Encontramos a un adorable perrito negro fuera de Victoria's Secret en la 86 y la Tercera Avenida. BD cortó la correa, yo agarré al perro y salimos corriendo.

MÁS TARDE EN casa.

—¿De quién es ese perro? —me preguntó mi padre.

Salvador me había explicado exactamente lo que tenía que decirles a mis padres.

—Conseguí trabajo como cuidador de perros.

Le di agua y comida al perro. Mi madre llegó del trabajo.

—Mira, Julio encontró trabajo —le dijo mi padre—. Yo no puedo encontrar trabajo y mi hijo encontró un trabajo.

—¿Trabajo? ¿Cuál trabajo?

Mamá se quitó los zapatos, lo primero que hace siempre. Tenía el correo del día en la mano. Había una carta de Lincoln Hospital, me alegré de que no la abriera. Ella dejó toda la correspondencia sobre la mesa.

—¿De quién es ese perro? Está lindo —dijo y prendió el radio con el volumen bajo.

—Estoy cuidando perros mientras los dueños están de vacaciones —le dije en inglés, porque mamá hablaba los dos idiomas dependiendo de su estado de ánimo y algunas veces los mezclaba.

—No se cuidan perros, se cuidan bebés —me contestó mamá—. ¿Cuánto te pagan?

Repetí la cifra que me había dicho Salvador que era la usual para ese trabajo.

—¡Como quinientos dólares!

Mi padre silbó para sí mismo. Leonardo Favio cantaba en la radio.

—No puedo creerlo —dijo mamá, tarareando un poco la melodía—. Tienes un trabajo, estoy contenta. Qué bueno.

—Ma, esos blanquitos ricos del Upper East Side adoran a sus perros. Prefieren pagarme para que yo los cuide antes que dejarlos encerrados en una caseta durante días.

—Está bien —dijo, y finalmente me besó en la cabeza para saludarme.

Mamá se preparaba para servir la cena. Mi padre cocinaba siempre, pero nunca servía. Esto comenzó años atrás cuando mi madre limpiaba y papá se ofreció a ayudar. Fregó los platos tan mal que mamá tuvo que hacerlo de nuevo, así que le dijo: "la mejor manera en que un hombre puede ayudar a la mujer es no haciendo nada". A mi padre no le gustó eso y dijo: "de ahora en adelante, yo cocino, pero tú tendrás que servir". Una vez, incluso, justo antes de cenar, mis padres pensaban que yo no estaba escuchando, y oí a mi padre decirle a mamá: "Quiero que me sirvas con tu uniforme puesto". Mamá le dijo que ella lavaba la ropa del hospital, que no era una sirvienta francesa. Entonces, mi padre le contó que él había tomado uno de sus uniformes del clóset y lo había cortado de cierta manera, y que ese era el que él quería que ella usara para servirle la cena. Por algún milagro, mi mamá me dio cinco dólares ese día para que fuera a comer pizza. De manera que así es como funciona: mi padre ecuatoriano cocina, pero mi madre puertorriqueña es la que sirve la comida.

—Ahora que trabajas, me puedes ayudar con las facturas —me dijo mamá mientras preparaba los platos y los ponía en la mesa, tarareando la canción de Leonardo Favio en la radio. Papá había preparado arroz con habichuelas y, por el olor, chuletas—. Sabes que tienes que alimentarlo y sacarlo a pasear tres veces al día. Y más vale que no ladre fuerte y me despierte. —Mamá terminó de poner los platos en la mesa.

—Solo voy a cuidarlo tres días, Ma. —Salvador me había dicho que ese era el tiempo que le tomaba al dueño ir a todos los lugares, como la ASPCA y la policía, antes de finalmente publicar los volantes de RECOMPENSA—.

Voy a mantenerlo en mi cuarto y lo sacaré a pasear antes y
después de clases y le pondré la comida. No hay problema.

—'Ta lindo —dijo mamá mirando al perro, que ladraba
de la forma más simpática.

—Este es el país más derrochador —mi padre se sentó
a la mesa moviendo la cabeza en señal de incredulidad—.
En Ecuador, quién iba a imaginarse que se le pagara a un
niño para que cuidara a un perro.

—Cállate, Silvio —lo interrumpió mamá—. Dale gracias a Jehová porque tu hijo tiene trabajo.

—Qué país tan derrochador —repitió mi padre.

No puedo enfrentar esta realidad / de no verte más, de mi
soledad.

—¿Yo te conté lo que hizo tu padre cuando estábamos
recién casados?

—Sí, muchas veces —respondí, aun sabiendo que volvería a contarlo.

—Tu padre va al supermercado y regresa contento diciendo que había conseguido tremenda oferta. Me dice:
"Compré diez latas de atún por un dólar; diez latas de atún,
ahorraremos dinero y comeremos atún por una semana".
—Ella trató de aguantar la risa—. Y yo le digo: "Tonto, eso
es comida para gatos".

—¿Qué sabía yo? —se defiende mi padre— ¿Qué sabía
yo? ¡Llevaba unas cuantas semanas nada más en este país!
Yo no pensé que la gente comprara comida para gatos.
¿Quién compra comida para gatos en Ecuador? El gato
come lo que uno bota.

Mi madre se desternilló de la risa y al perro le gustó,
porque saltó a su regazo y empezó a ladrar para llamar su

atención. El perro no parecía echar de menos a su dueño siempre que le dieran comida, paseos y amor.

—¿Y la cara del gato en la lata no te decía nada? —Mamá seguía riéndose a carcajadas.

—Yo creí que era la marca —dijo él encogiéndose de hombros—. Por lo menos Ecuador no es una colonia de los Estados Unidos, somos un país independiente.

—No empieces con eso —le advirtió mamá, y subió el volumen del radio para que la voz de Leonardo Favio ahogara la de mi padre.

—Regresaré en diez. —dije, y le puse la correa al perro.

Mi padre, al oír que me iba, caminó hacia el radio y bajó el volumen y, casi susurrando, le preguntó a mamá: "¿Me vas a servir la comida con tu uniforme de la lavandería?". Yo respiré hondo y salí a pasear al perro que me acercaría a Taína, mientras mi madre fue a cambiarse de ropa, cantando.

Verso 2

ME DESPERTÉ, BOSTECÉ y me agarré el pene con una seguridad natural. La primera imagen del día que cruzó mi mente fue Taína cantando en la ducha. Yo estaba contento. Sonriendo, me imaginé el vientre de Taína, la espuma del champú resbalando por su cuerpo mojado. Yo no estaba ahí, yo no le estaba haciendo nada. Simplemente veía la imagen de su cuerpo desnudo en el techo, mientras yo yacía en mi cama. Era como una sombra blanca similar a las imágenes de ella mirando hacia afuera desde su ventana. Entonces, pensé en las pocas veces que había oído su voz y parecía que ella estaba allí en mi cuarto, cantando. La electricidad estalló dentro de mí. Un asombroso despliegue de chispas ascendentes salió disparado. No sentí pudor ni remordimientos. Me levanté, encontré un calcetín en el piso y me limpié con él. Cuando fui a buscar algo de ropa, abrí la gaveta y ahí, a plena vista, había una revista *La Atalaya*. El título tenía que ver con las drogas y cómo estas afectan la mente. Sabía que mi madre la había dejado allí para mí. En nuestras conversaciones, ni mamá ni papá habían tenido el valor de preguntarme si yo estaba usando alguna droga. Yo solo fumaba yerba con BD y ni siquiera con frecuencia. Tenía pocos amigos, y los que hablaban conmigo no eran tan relajados como para fumar. No pensaba leer *La Atalaya*. La abrí y me aseguré de que se le arrugara el lomo, con la esperanza de que mi madre pensara que la había leído.

A LA ENTRADA de la escuela, dos muchachos blancos con joyas y el radio con un bajo demasiado potente se estacionaron al lado de la acera. Apagaron el motor, pero el radio seguía retumbando. Uno de ellos se bajó del carro, las cadenas de oro le golpeaban el pecho mientras se abría paso zigzagueando como si estuviera practicando boxeo de sombra. Era Mario, y venía directo hacia mí. Desvié la mirada del carro para mirar a cualquier cosa menos a él. Esperé el bofetón o el insulto, pero me pasó por el lado, indiferente, como si él fuera muy *cool* para meterse conmigo. Yo no tenía problema con eso.

La Srta. Cahill comenzó la clase repartiendo viejos libros de texto de ciencia que olían como la leche de una vaca cuyas entrañas están deterioradas. La profesora se dio cuenta de que todos arrugaban la nariz. A ella también le repugnaba.

—Sé que son un poco viejos, pero fueron los mejores libros que pude encontrar.

—Oiga, Srta. Cahill —gritó alguien—, estos libros son tan viejos que conocieron a Burger King cuando todavía era príncipe.

El grupo se rió.

—A Central Park cuando era una sola planta —añadió otro.

La clase se rió con más fuerza.

—Cállate —vociferó alguien.

—Cállate tú.

—No, tú cállate.

—No, tú, que tu madre es tan pobre que fue a McDonald's a poner un Big Mac en *lay-away*.

La discusión se había convertido en una batalla campal.

—¿Ah, sí? Pues tu madre es tan pobre que le cosió bolsillos de hule a tu abrigo para que puedas robarte la sopa.

—Por favor, amiga. Cuando tu madre dominicana oye que el hombre del tiempo dice que va a caer granizo, te manda afuera con la cubeta del hielo.

La Srta. Cahill hacía lo que podía para restaurar el orden, pero algunas veces no podía evitar reírse de algunas de las ocurrencias. Así que el caos continuó.

—Bueno, tu madre piensa que la "menopausia" es un botón en el reproductor de DVD.

—La tuya piensa que "Manual de Santería" es el presidente de Colombia.

—Y la tuya cree que "ilegítimo" quiere decir que no sabes leer.

La Srta. Cahill para de reírse y dice:

—Bueno, ya, suficiente.

—Ah, sí, y tu madre es tan gorda y tan estúpida que destruyó tu computadora buscando las *cookies*.

—Ya basta —insiste la Srta. Cahill, aunque sigue riéndose a carcajadas—, suficiente.

—Si, bueno, y tu madre es tan bruta que falló la prueba de sexo oral.

—¡YA BASTA! —La Srta. Cahill dejó de reír. Se mordió los cachetes para no seguir riéndose—. Yo lo detesto tanto como ustedes —dijo en ese tono de voz suyo tan dulce y agradable—, pero hay material en estos libros que todavía es útil.

—Sí, para envolver pescado —dijo Mario, mientras se tomaba una bebida de leche Yoo-hoo y leía un cómic.

—Escuchen. —La Srta. Cahill ya estaba molesta; miró a Mario—. No empecemos otra vez con las bromas, ¿ok?

La clase se calló.

—La química trata de la vida. —La Srta. Cahill comenzó la lección—. Los electrones cambian sus órbitas, las moléculas cambian sus enlaces. Los elementos se combinan y cambian sus compuestos. Eso es la vida. Cambio. Vida, muerte y vida otra vez. Todo sucediendo en un lugar tan diminuto que nunca podemos realmente ver, mucho menos ir, pero sabemos lo que está ocurriendo ahí.

Me puse contento cuando vi a BD fuera del salón de clases saludando con la mano. Pedí permiso para ir al baño. La Srta. Cahill me lo concedió después de decirme que tenía que hablar conmigo sobre mi ensayo para la universidad. Asentí con la cabeza y me reuní con BD en el pasillo.

—¡Eh! Lo encontré, lo encontré. —Me dio el pasquín. Me sorprendió porque solo habían pasado dos días y Salvador había dicho que le tomaba de tres a cuatro días a los dueños del perro colocar los avisos. Leí el pasquín y era nuestro perro.

RECOMPENSA POR PERRO PERDIDO.

Visto por última vez en la Calle 86 y la Tercera Avenida.

Si lo ha visto, por favor, llame a L. Sloan al 212-722-8612.

Responde al nombre de Cosmo.

—Fíjate, lo vieron por última vez en la misma manzana, cerca de Victoria's Secret, donde lo robamos. No hay duda, Julio, es el mismo perro —dijo BD.

—No lo robamos —aclaré—, lo tomamos prestado.

—Si eso es lo que necesitas repetirte a ti mismo. Yo solo quiero el dinero —manifestó BD.

—No olvides a tu hermanito, Ralphy. —Doblé el pasquín y lo guardé en mi bolsillo trasero.

YA EN CASA, saqué al perro a pasear y le di la comida. Me engalané, me peiné y brillé los zapatos con aceite de bebé. Me reuní con BD y con su hermanito de seis años —Ralphy, el nene más chulo que había visto—, fuera de mi proyecto. Hice la llamada desde un teléfono público. Conocía el poder de las palabras y, por alguna razón, practiqué la palabra "deambulando" lo mejor que pude para sonar como un joven blanco. Así que, cuando la señora contestó el teléfono, le dije:

—Señora, creo que hemos encontrado a su perro, estaba "de-am-bu-lan-do" en Central Park.

—¿Estás seguro de que es mi Cosmo? —La voz de la mujer sonaba súper contenta.

—Sí, ¿ese es su nombre? —Como si yo no lo supiera—. Podemos llevárselo.

Aunque ya sabíamos la dirección por el anuncio, ella nos la repitió, y salimos para el Upper East Side.

Llegamos y el portero llamó a la señora desde un teléfono en el vestíbulo; ella le dio instrucciones para que subiéramos. Las paredes del ascensor eran todas de latón que semejaba oro y en ningún lado se sentía olor a orines. Cuando íbamos subiendo, BD le dijo a su hermanito que llorara. Ralphy, quien sostenía al perrito en sus brazos, lloró como si fuera camino al dentista. El ascensor nos llevó hasta el mismo apartamento. Yo pensé: "¡Qué increíble, un ascensor dentro de tu casa!".

—Señora, ¿este es su perro? Mi hermanito lo adora, pero, cuando nos enteramos de que estaba perdido, lo trajimos de vuelta —le referí, y el rostro de la joven y hermosa señora blanca se iluminó.

Respiró fuerte y se inclinó para tomar a su perro de los brazos del pequeño Ralphy, quien se aferraba con más fuerza y seguía llorando a lágrima viva.

—Te compraré uno, uno que se parezca a este —le dije a Ralphy.

—Claro, Ralphy, vamos, te compraremos otro perro. Este es de la señora —le dijo BD a su hermanito.

—Es mi perro, Ralphy —dijo ella, llamando por su nombre al hermanito de BD como si lo conociera—. Lo siento, pero es mi perro, Ralphy.

La señora se desencajó. Entre dulzura y tristeza se arrodilló para tomar al perro. Ralphy lo dejó ir y el perro le saltó encima rápidamente a su ama como si fuera su madre. La dama tenía un collar adornado con piedras preciosas que le colgaban del cuello como los anillos a Saturno. Sus uñas brillaban y sus dientes eran blancos como perlas. Arrulló al perro y este correspondió a su amor con un risueño ladrido.

—*Bye* —dije, mientras Ralphy ocultaba su rostro lloroso en los brazos de BD.

En el momento justo, el brazo artificial de BD se cayó. Hizo un estruendo al caer en el piso de madera. La joven jadeó, como si le faltara el aire, y se cubrió la boca, horrorizada. Sin inconveniente alguno, BD recogió su brazo y se lo volvió a colocar, mientras abrazaba a su hermanito lloriqueando y decía "Vámonos, compañeros".

—¡Esperen! —gritó la señora como si no nos hubiera hecho justicia—. Hay una recompensa.

Afuera. En Park Avenue dimos vuelta a la esquina y comenzamos a correr. Probablemente habríamos continuado corriendo hasta llegar a El Barrio, todo el camino hasta la Calle 100 y la Primera Avenida, si no hubiera sido porque Ralphy era muy pequeño y se cansaba.

—Me dijiste que me ibas a comprar cien dulces de un centavo si lloraba. —Ralphy estaba molesto con su hermano mayor.

—Y lo voy a hacer —le dijo BD y le dio un Jolly Rancher.

Estábamos en la calle y yo no iba a sacar el dinero, así que entramos en una pizzería, pedimos una pizza y Coca-Colas, y nos sentamos en el fondo. Comencé a contar. Era mucho dinero y casi podía ver la cara sonriente de felicidad de Doña Flores.

Verso 3

LE HUBIERA SONREÍDO a Taína, pero no podía levantar la vista. Estaba tan nervioso que tenía miedo de quedar encandilado. Solo miraba hacia abajo, a las chancletas de Taína. Eran de plástico anaranjado. Sus diez uñas mostraban restos descascarados de un esmalte rojo cereza y una enorme curita de Snoopy le envolvía el dedo gordo. Una delgada bata de algodón transparente azul grisáceo del color de los ojos de las gaviotas cubría su cuerpo en estado de gestación. La bata estaba arrugada como si hubiera dormido con ella. Era difícil no prestar atención a esos lugares que se supone que los muchachos no se queden mirando, así que mantenía la cabeza baja.

Yo había llegado más temprano con dos bolsas de comestibles, Pampers, talco, toallitas, frazadas, Coca-Cola, un juego de manicura, Q-tips, chicles y muchas chucherías porque había leído en los libros que tomé prestados de la biblioteca que las mujeres embarazadas comían mucha comida chatarra. Toqué a la puerta y esperé. Entonces me di cuenta de que Doña Flores no iba a abrir a menos que yo deslizara el sobre con dinero por debajo de la puerta. Así que eso hice. Pronto, oí el sonido de alguien contando los billetes, susurrando los números en español. Solo entonces se oyó el sonido de la cerradura y la puerta se abrió lo suficiente como para que pudiera entrar de lado con la bolsa de la compra.

Doña Flores se veía complacida. Le comunicó a la pared: "Juan Bobo lo hizo". Le aclaré que mi nombre era Julio. Ella asintió, pero yo sabía que se estaba burlando de mí. Se burlaba de mí con las paredes con las que hablaba. Pero a mí no me importaba. Yo podía oír los latidos de mi corazón dibujando esos círculos alrededor de círculos y volviendo sobre los mismos círculos porque pronto iba a ver a Taína.

Le había dicho a Doña Flores que estaba enamorado de su hija y, aunque estaba seguro, no sabía cómo decírselo a Taína. Además, le tenía miedo a su boca sucia.

Doña Flores apiló las cajas de pañales en un lado del pasillo vacío. En la sala, me indicó con un gesto que esperara. Con una mano sostenía el dinero y con la otra, algunos víveres. Tocó a la puerta de Taína y dijo: "Tate". Los círculos en mi corazón empezaron a formar otras formas y figuras; flotaban, serpenteaban y rebotaban dentro de mí como un cuadro abstracto y yo solo atinaba a mirar al piso.

—¿Tú eres Julio? —preguntó Taína con un acento que sonó delicado—. Ese es un nombre bien tonto, *stupid name*. —Alternaba el español con el inglés—. El nombre de porquería más idiota y más feo que he oído. —A mí me hacía feliz que ella pensara que mi nombre era tonto y estúpido—. No se mira a la gente cuando están en el maldito baño —me regañó con tono de dar órdenes.

—Sí, sí, lo siento. Yo solo estaba ahí —le contesté—. ¿Te gusta la pizza? —le pregunté, mirando en realidad a Doña Flores, que estaba guardando la comida—. ¿Sabes qué es pizza?

—¿Pizza?

—¿Pizza, para comer? —le pregunté, intentando no sonreír mucho, no mirar su bata transparente, aunque ella debe haberse dado cuenta. Sus pezones marrones se marcaban como si ellos también se estuvieran burlando de mí—. Pizza, tiene queso y otras cosas.

—Yo sé lo que es la pizza, idiota —dijo Taína—. Claro que me gusta la pizza, estúpido imbécil. *Pizza taste good* —dijo en inglés.

Me tomó por sorpresa. Ella podía hablar los dos idiomas, probablemente podía leer también en ambos.

Entonces, se rió como si fuera lo más gracioso que le hubiera pasado.

Doña Flores se fue a la cocina y nos quedamos solos en la sala. Finalmente, alcé la vista para ver el rostro de Taína, pero mis ojos quedaron atrapados en sus senos. Mi ropa empezó a sentirse muy apretada y mis ojos no podían subir de su barbilla. Solo seguían ahí clavados. Ella exhaló como si estuviera aburrida. Sus pechos se elevaron y volvieron a descender. Toda su bata flotó en el aire. "Hombres, ¡por Dios!", volvió a exhalar y fue a su habitación. Regresó con una camiseta sobre la bata que decía "Propiedad de los Yankees de Nueva York".

—¿Te estás alimentando bien? —le pregunté, abochornado, en inglés, porque ya sabía que Sal no me había dicho la verdad.

—Me gustan los Twinkies. Más vale que me hayas traído. ¿Trajiste helado? Di que sí, ¿y chicle también, tonto?

—Sí, sí, sí —le contesté, pero estaba furioso conmigo mismo por no traerle Twinkies.

No le dije que los Twinkies eran malos para ella.

—Extraño leer revistas —me comentó como si estuviera aburrida—. Me gusta leer. Los libros en esta casa son todos porquería religiosa, *La Atalaya* y *Despertad*, porquerías realmente estúpidas.

—¿Quieres que te traiga libros?

—¿Eso no es lo que acabo de decir? Dios, tú sí que puedes ser idiota.

—¿Qué te gusta?

—Cualquier cosa, pero, sobre todo, revistas. Me gustan los libros, pero más las revistas.

Recordé la noche que los seguí a los tres cuando entraron a una tienda. Deseaba preguntarle si quería que le comprara un estéreo portátil o un iPod para que pudiera escuchar música. Yo sabía que ella cantaba, pero no sabía cómo llegar a este punto.

—¿Extrañas la escuela, Taína?

Le tomó más tiempo contestar porque parece que no quería que su madre nos oyera. Todo lo que hizo fue mover ligeramente la cabeza.

—Algunas veces, sí, extraño la escuela. —Se encogió de hombros—. Pero no extraño a esos imbéciles burlándose de mí.

—¿Extrañas cantar?

—¿Cómo tú sabes?

—La Srta. Cahill me dijo...

—¿Ah, ella? Ella era *nice*. Sí, yo cantaba, nada de otro mundo, solo tonterías.

—¿Quieres que te consiga un iPod?

—¿Esas cosas? ¿Por qué?

—Para que puedas escuchar música —le dije como si fuera obvio.

Se encogió de hombros, simulando que no le importaba. Pero yo sabía que sí. No sabía si debía preguntarle, si era algo estúpido preguntar, pero lo hice.

—¿Puedes cantar? Quiero decir, solo un poquito, nada grande.

Abrió la boca de inmediato con incredulidad, como si le hubiera pedido algo obsceno. Entonces, cerró los labios, se cruzó de brazos e hizo muecas.

—¿Acaso ves un sombrero?

—¿Un sombrero?

—Sí, para que puedas echar un dólar... yo no voy a cantar para ti, mequetrefe.

Doña Flores terminó de guardar los víveres. Entonces, se sentó en la mesa de la cocina a distribuir el dinero y comenzó a hacer apuntes en un bloc de notas.

Dejé pasar lo de cantar y miré a Taína directo al rostro. Noté constelaciones alrededor de sus ojos y de su nariz, y neciamente dije en voz alta:

—Taína, tienes pecas.

—Vete al carajo —soltó, abruptamente—. Sí tengo pecas y Usmaíl va a tener pecas también. ¿Tú tienes algún problema con las jodías pecas?

—No. A mí me gustan las pecas. Son chulas.

Y, entonces, a pesar de lo grande de su barriga, se sentó sin problemas en el sofá. Yo me senté en el otro extremo para darle espacio a su cuerpo preñado. Taína se movió para estar más cerca.

—Odio mi nombre —confesó—. Usmaíl es el único nombre que no es estúpido. Me gusta mirar desde la ventana al buzón. Me gusta leerlo en inglés.

—Es un nombre mágico —coincidí.

—No como mi nombre. Odio mi nombre; es estúpido —repitió.

—A mí me gusta tu nombre. Es muy bonito.

Quería besarla, pero yo no sabía besar. Yo no creo que ella supiera besar tampoco, sin importar cuántas groserías dijera. Pero nunca me atrevería.

—Sabes que yo te creo, Taína. —La miré directamente a los ojos, me esforcé mucho por mantener la mirada en sus ojos—. Yo sé lo que te pasó. Yo lo sé. —Estaba ansioso por contarle—. Algo ocurrió dentro de tu cuerpo cuando te embarazaste tú sola.

—Ok, cuéntame. —Se cruzó de brazos como si estuviera aburrida.

—¿Tú sabes lo que es una célula?

—Sí, claro que sé lo que es una célula.

—*Okey.* ¿Tú sabes lo que es un átomo?

—Sí, sí —contestó, aburrida—. Todo está compuesto por átomos. ¿Cuál es tu estúpido punto?

—*Okey, okey.*

Le conté sobre la revolución que había ocurrido en su cuerpo y que ella era especial y había sido elegida por esta revolución. Que esta revolución no podía haber ocurrido dentro de ningún otro cuerpo. Le conté sobre un átomo que se rehusó a seguir la ley de su ADN y que concentró a otros átomos para compartir electrones y soltarlos también, para poder formar las moléculas que se necesitaban.

—Ese es el cuento chino más grande que he oído en mi vida.

—Está bien. —Sentí sus ojos burlones—. Bueno, bueno, entonces, ¿cómo te embarazaste?

—No sé cómo carajo, Julio. Si lo supiera se lo habría dicho a todo el mundo. Me siento realmente bien estúpida al no saber cómo pasó. Pero no lo sé, no sé cómo carajo fue.

—No estás mintiendo, ¿verdad?

—No, claro que no. De verdad que no lo sé. Si lo supiera, se lo habría dicho a mami. Pero te juro que no lo sé.

Estaba decepcionado de que no me creyera, pero estaba feliz porque se acercó aún más. Por primera vez su voz era amable, como un reflejo de que eso no era mentira.

—No recuerdo nada —declaró, moviendo la cabeza—. Solo recuerdo que un día me sentía bien jodía y mi madre fue a la tienda y me trajo una prueba estúpida de mierda. Oriné en ella y resultó que estaba preñada. Lo peor es que no recuerdo nada, absolutamente nada de cómo pasó, Julio.

—¿Nada?

Miré sus piernas desnudas, brillantes y cubiertas de pelusa, como grosellas.

—Recuerdo tus regalos en la puerta. Vaciábamos las cajas y las tirábamos a la basura.

O sea, que sí habían aceptado mis regalos. Lo que había visto en la basura eran las cajas vacías.

—Pero, ¿qué pasó con el moisés? —le pregunté, alejando los ojos de sus piernas y mirándola de frente—. Te compré un moisés y nunca lo aceptaste.

—¿Un moisés? ¿En serio, loco? —dijo, chasqueando los dientes—. ¿Quién necesita un moisés? Una cuna, sí, pero un moisés, por favor. ¿Un moisés? ¿Quién carajo te crees que somos, la jodía familia real?

Tiene que haberse dado cuenta de mi decepción o algo, porque suavizó el tono.

—Te recuerdo de la escuela. Tú eras *nice*. Nunca me dijiste nada malo. Te veía y no me asustaba. Te veía desde mi ventana al lado del buzón y me sentía mal por ti. —Cuando vio que mi cara cambió, ella también lo hizo—. ¿Ya estás contento, Dios?

—Bien —le dije, porque era la persona de quien me había enamorado y nada más importaba—. Pero, ¿no sientes una revolución dentro de ti? ¿Ni siquiera un poquito?

—Nada. Creo que lo me dijiste es bien estúpido. Mami dice que la única que puede llegar a la verdad de lo que pasó es Peta Ponce.

—¿La espiritista?

—Sí. Y tú estás pagando para traerla —dijo Taína.

No sé en qué momento la mano de Taína encontró la mía y la guio hasta su cálido vientre.

—Usmaíl —dijo.

Sentí dos mástiles sosteniendo una carpa de circo. Tenía ganas de reír, no a carcajadas, sino con una de esas risitas nerviosas, porque parecía que Usmaíl me invitaba a jugar. Entonces, los mástiles se recogieron dentro de ella, pero Taína permitió que dejara mi mano sobre su estómago. Se acomodó todavía más cerca de mí y posó su cabeza sobre mi hombro. No sonreía ni nada, pero me pareció un poco cansada. Su cabello se desparramaba en mi hombro y observé una sola hebra.

Y vi cosas.

Vi el ADN de Taína.

Sus cadenas entrelazadas como si se tomaran de la mano, sus dedos trenzados como sogas. Podía ver todas las partículas subatómicas. Sus circuitos de átomos, simulando electrificantes estrellas centelleando, palpitando en las entrañas de Taína. Podía ver hasta el fondo de la revolución que había engendrado a Usmaíl. Vi todo ese vacío, ese espacio vacío que ninguna forma de la materia llena. Y, entonces, vi un bebé. Un bebé que saltaba de átomo en átomo. Estaba rodeado de electricidad y reía a carcajadas. Entonces, el bebé vio que yo estaba allí. Yo también me reí. El bebé abrió las manos y me mostró colores. Colores nuevos enmascarados en lo más profundo de las estrellas. Colores nuevos que existen en dimensiones ocultas, donde existe una diferencia abismal entre la química de la luz y la química de nuestro mundo. Usmaíl me mostró colores primordiales que ningún ser humano ha visto jamás. Todos esos rojos velados, todos los amarillos velados, todos los azules velados, los colores enigmáticos camuflados entre los desechos de las supernovas subatómicas. Entonces, regresé a El Barrio.

De vuelta en los proyectos.

De vuelta al sofá.

De vuelta a donde Taína se había quedado dormida sobre mi hombro. Sus labios rosados dulcemente abiertos y vestigios en su aliento de Cheetos anaranjados. Estaba feliz de llevarme rastros de su aliento en la camisa. La manera en que había oído que su voz te calaba la ropa y nunca podrías extraerla. Taína respiraba apaciblemente. Le acomodé el cabello con suavidad, con la certeza de que siempre la amaría, sin importar los insultos que me profiriera. Deseaba estar a su lado, oler el champú de melocotones en su cabello —por lo menos a eso olía—, ver los minúsculos pelillos dentro de sus orejas, contar las pecas en su rostro. No me importaba que Taína no me creyera. Yo sabía que había ocurrido una revolución en su cuerpo. Pensé en la espiritista esa y pensé que la tal Peta Ponce tal vez validaría finalmente mi teoría de la revolución.

Doña Flores entró en la sala y nos encontró sentados muy juntos, pero no dijo nada. Solo me tocó suavemente la pierna. Tenía que irme.

—Gracias, m'ijo —susurró para no despertar a su hija—. Mira, Juan Bobo, Tate necesita descansar.

Verso 4

ENTRÉ CON UN perro nuevo. Mi madre estaba al teléfono y el radio estaba encendido con el volumen bajo. No reconocí al cantante, aunque me pareció que era Juan Luis Guerra, cantando una bachata. Había una bolsa de víveres sobre el sofá en la sala. Mamá estaba contenta de ver al perro, porque la última vez le di cincuenta dólares. Mi padre también estaba muy orgulloso de mí, les contaba a todos sus amigos izquierdistas de Ecuador que yo era un hombre que contribuía a las finanzas familiares. Yo hubiera querido aportar abiertamente más dinero, pero no había forma de explicar los ingresos de mi estafa. Así que escondía cien por aquí y cien por allá dentro de la bota de mamá en el clóset y ella nunca se daba cuenta de la diferencia.

Me senté a la mesa y comí lo que mi padre había preparado. Mamá seguía hablando por teléfono con quienquiera que fuese.

Yo no pensaba en otra cosa que no fuera el día anterior con Taína. Sentí que había recibido el don de ver a una criatura celestial y que eso debía permanecer en secreto.

Después de cenar, le di comida al nuevo perro que BD y yo habíamos tomado prestado, y le di agua.

Estaba a punto de salir para la casa de Salvador, cuando mi madre dejó de hablar por teléfono por un segundo para preguntarme a dónde iba.

—A dar una vuelta con BD.

—¿'Tas seguro? —Se disculpó con la persona al otro lado de la línea y siguió recriminándome—. Me dijeron que te vieron en el segundo piso tocando a la puerta de esa loca.

—Ma, yo voy a la escuela y ahora tengo un trabajo —respondí ofendido—. No tengo tiempo para hacer nada.

—Mira, Julio, vieron a Inelda en la calle comprando cosas.

—¿Y? —Me encogí de hombros.

—Esa mujer no ha mostrado la cara y, ahora, de pronto...

—¿Y ahora qué?

—¿Todavía estás oyendo voces?

—Yo nunca oí voces, Ma. —Sus ojos seguían escudriñando mi semblante, buscando detalles que solo las madres pueden detectar.

Entonces, de repente, su cara cambió y lo dejó pasar.

—Dios te cuide —me dijo—. No regreses tarde.

Estaba a punto de salir y esta vez fue mi padre quien salió del cuarto.

—¿Puedo pasear al perro? —me preguntó.

¿Qué tal si papá paseaba al perro cerca del Upper East Side? ¿Y si alguien reconocía al perro? ¿Y si lo denunciaban a la policía?

—Claro, Pa, pero no se vaya muy lejos. —Me arriesgué porque eso lo hacía tan feliz como si estuviera trabajando.

—Gracias, no pienses que te voy a quitar el trabajo. Nadie dice que quiero tu trabajo, solo quiero hacer algo, eso es todo.

Mi padre fue a ponerse sus mejores zapatos y la ropa buena porque los vecinos lo verían haciendo algo. Incluso estaba silbando una canción ecuatoriana, y eso me hacía feliz porque sentía como si hubiera contratado a mi papá.

SALVADOR ABRIÓ LA puerta, cubriéndose los ojos del deslumbrante sol. Tenía en la mano una mazorca de maíz a la parrilla cubierta de mayonesa y empapada con salsa Tabasco.

—Los mexicanos la comen así. No está mal. Debes probarla, papo. Yo estoy feliz porque todavía tengo dientes y puedo comer esto, ¿sabes, papo?

En El Barrio vivían muchos mexicanos. Sus sabores y carritos de comida estaban por todo el vecindario. Enarbolaban sus banderas igual que nosotros las nuestras. Pero ahora el águila de su emblema rojo, blanco y verde se estaba quedando con el vecindario. La bandera mexicana ondeaba por todo El Barrio y parecía que nos llevábamos bien, puesto que no se habían visto enfrentamientos, como ocurrió cuando llegamos y los italianos nos querían matar.

—Debes probar sus mangos a la parrilla —decía Salvador, mientras me dejaba pasar—, son bien buenos. Ellos le ponen pique a todo. Mano, si tuviera dinero, comería esto todos los días. Es bueno, esto es un gustito que me doy,

¿sabes, papo? Yo no tengo presión alta, solo tipo 2. Pero, *who cares*, papo.

Les pasé por el lado a todos los televisores viejos amontonados en el corto pasillo.

—¿Qué va a hacer con todos esos televisores, Sal?

—Los voy a arreglar para venderlos —contestó, como si fuera obvio.

Debe haberlos encontrado en las aceras mientras caminaba de noche. No tuve corazón para decirle que ya nadie compraba esos viejos televisores cuadrados.

—Y ese piano, ¿también va a arreglarlo y a venderlo? —le pregunté, señalando al objeto más grande del salón.

—No, no, eso fue un regalo. ¿Quieres oír algo? Yo puedo tocar algo para ti, papo. De verdad.

—No, está bien. Tenga —dije, sacando un fajo de billetes de veinte.

—¿Estás seguro? —No podía creerlo—. ¿Cuánto te dieron?

Le dije.

—Ok. Eso no está nada mal. —Eso quería decir que cuando él daba el timo le había ido mejor—. Tienes que buscar razas puras. Una vez, me llevé prestado un bebé labrador y me hice rico.

Terminó de comerse el maíz y empezó a chupar la mazorca.

—Entonces, ¿viste a Taína?

—Sí, ella es preciosa, pero ¿por qué tiene que ser tan grosera algunas veces?

—¿En serio? No lo había notado. —Se hurgó un poco los dientes.

—Siempre está diciendo palabrotas; todo es estúpido por aquí, carajo por allá.

—Nunca me di cuenta. —Lamió la mayonesa que le quedaba en los dedos.

—Y usted me dijo que ella no hablaba inglés.

—No, papo. Te dije que ella lee el buzón en español.

—Olvídelo. —Lo dejé pasar porque era un caso perdido.

—¿Quieres seguir viendo a Taína?

—Claro.

—Entonces, consigue el dinero para que Peta Ponce pueda venir acá, papo —dijo, como si no hubiera nada malo en este intercambio. Abrió el refrigerador—. ¿Quieres comer algo? Tengo habichuelas, tengo queso, tengo pan y esta vez nos dieron tocineta. Yo no sé dónde consiguió los cerdos el Tío Sam, pero la tocineta está buena, papo. —Vio mi expresión de desazón—. Mira, papo —continuó, cerrando el refrigerador—. Yo no culpo a mi hermana por lo que está haciendo. Tú sabes que ella creció en una época de mucha violencia en Nueva York, ¿entiendes lo que digo, papo?

—¿Y qué? Mi madre también, y ella está bien.

—Eso es así porque tu madre todavía tiene a la iglesia. En la iglesia, ella encontró su salvación, papo. Inelda también. Pero, ¿qué pasa cuando la iglesia te saca a patadas, eh? ¿Qué pasa cuando te cortan la cuerda de salvación? Cuando Inelda se unió a la iglesia, estaba hecha un desastre, habiendo crecido en medio de la violencia. Cuando la expulsaron de la iglesia, se desesperó. Ella podía orar a Dios todo lo que quisiera, pero no iba a pasar nada. Yo lo sabía, así que le dije: "Dios va a mandar a alguien para que te ayude".

—¿Quién es ese? —pregunté.

—¡Tú! —Me señaló al pecho—. Tú, papo. Dios te envió a ti.

—Dios no me envió. —Eso era lo más ridículo que yo había oído.

—Yo le dije que Él te envió. Tú eres lo único que ella tiene.

Yo sabía que Doña Flores pensaba que Salvador era un santo, así que ella creería cualquier cosa que le dijera su hermano.

—Siempre puede volver a la iglesia —le dije—. Ellos pueden ayudarla.

—No, no puede —respondió.

Vi que el disfraz de vejigante que colgaba al lado del clóset estaba un poco arrugado y me pregunté si se lo habría puesto para ir a algún lado. El alfiler de "Puerto Rico Libre" también estaba un poco torcido.

—Inelda ya está ida. Cuando le pasó esto a Taína y las echaron de la iglesia, ella se volvió loca. Perdió la razón. ¿Me entiendes? —Hizo círculos con el dedo alrededor del oído y silbó—. Se le fue. Se "craqueó". Tú debes haberla visto hablar con las paredes. Y yo no puedo ayudarla porque soy un viejo y yo también estoy acabado. A mi manera, yo también estoy ido, papo. La cárcel... —Se atajó rápido porque nunca antes había dicho esa palabra. Se le escapó y trató de echarle el lazo y regresarla a la boca, pero ya la había liberado—. Te afecta. Cuando sales, llevas ese lugar contigo. Yo también estoy acabado. Mira, papo, la pobreza es violencia. Nos mantienen pobres para que perdamos la razón y entonces nos puedan echar la culpa.

—Yo no sé. El Hombre esto, el Hombre aquello —le dije, porque todo me sonaba a excusas.

—Bueno —dijo, notando que yo estaba mirando su disfraz, aunque no se lo iba a poner—. Bien, porque si crees eso, papo, para. Para ahora mismo. No te lleves prestados más perros, solo vete a casa con tu madre y su Dios y no vuelvas a ver a Taína. No la ayudes a ella ni a nadie más porque, si lo haces, pierdes el tiempo corriendo en la rueda de la pobreza en la que nos han puesto. Son gente malvada. La pobreza es violencia, papo. Y es peor con las mujeres y los niños.

Por primera vez vi ira en los ojos del Vejigante. Ira hacia todas las cosas, incluyéndome a mí. Pero él no liberaría esa ira, porque aquella noche años atrás había aprendido lo que era capaz de hacer incitado por la ira.

—Mira, papo, ellos quieren que sigamos siendo pobres.

—Pero, ¿quiénes son "ellos", Sal? ¿El Hombre? ¿Quién es el Hombre? ¿Quién nos mantiene en la pobreza?

—El sistema capitalista, los ricos, los políticos, la policía, todos los que se benefician de que te mueras pagando renta, papo. Ese es el Hombre. —Hablaba como alguien proveniente de otra época, de otro momento en la historia de América. Yo sabía que yo amaba a Taína y Sal se estaba poniendo aburrido—. La violencia no se presenta siempre con un arma, papo. Puede venir con políticas encaminadas a mantener en su sitio a personas como nosotros.

—Me tengo que ir.

Yo había venido por respuestas y él me daba lecciones de política. Estaba pensando en no volver a visitarlo. Iba a negociar por mi cuenta con Doña Flores. De alguna manera, pronto iba a dejar de tomar perros prestados. Ayudaría a Taína y al bebé de alguna otra forma.

—Nos vemos, Sal.

—Ey, papo —me detuvo—. Voy a decirte esto porque debes saberlo. Es tu derecho. Porque, papo, cuando tú amas a alguien, si es preciso, quemas el cielo para alimentarlo.

—Me tengo que ir, Sal.

—Dame dos minutos, ¿ok? Yo soy un viejo y dos minutos para mí son mucho tiempo, pero para ti no es nada, papo, solo dos minutos.

—Está bien. —Exhalé de aburrimiento.

—Escucha. Yo estuve adentro muchos, muchos años, pero mientras estuve allí —Se humedeció los labios y respiró hondo—, Inelda era joven y era la única fuente de ingresos de su familia. Tú sabes cómo son los padres, nunca están ahí o nunca trabajan, así que ella lo hacía. A ella le gustaba cantar. Además, era muy buena. Nunca lo dirías al verla, pero Inelda era maravillosa. Durante años, me mandaba dinero y mi cuenta de preso estaba bien, por lo menos mejor que la mayoría. Ya sabes, papo. —Vio que me estaba moviendo hacia la puerta, así que apresuró la perorata—. Ella era muy popular y tenía muchos pretendientes. Entonces, conoció a este tipo puertorriqueño que odiaba a otros latinos. Nunca se casaron, pero ella se fue a vivir con él. Cuando Inelda quedó embarazada, él la dejó. Tu madre conocía a un médico que se aseguraría de que

Inelda nunca más quedara embarazada. Inelda no quería hacerlo, pero el médico le dijo que era lo mejor y ella tenía que mantener a su mamá y pronto, también al bebé. Tu madre estaba de acuerdo con ese médico. ¿Entiendes lo que digo, papo? —Comencé a entender por qué Doña Flores hablaba con las paredes—. Ahí empezaron los problemas mentales de mi hermana. Se pasaba el día y la noche llorando. Tú sabes, papo, nunca volvió a cantar. Tu madre, Julio, era su mejor amiga. Y fue tu madre también la que oyó hablar sobre esta mujer que era famosa en Puerto Rico y por acá. Decían que ella era capaz de sanar a las mujeres quebrantadas. Tu madre llevó a Inelda a ver a Peta Ponce.

Mi madre no quería que yo viera a Taína. Ahora yo sabía por qué. Sentí una gran tristeza, como si mi mundo se derrumbara.

—Y Peta Ponce ayudó a Inelda, pero ella no volvió a ser la misma. Tu madre, papo, conocía todas esas cosas porque ella había estado en el lugar de Inelda. —Carraspeó y examinó mi cara—. Después que tú naciste, ella lo hizo. Tú sabes, ella tenía que trabajar para mantenerte, así que ella lo hizo. Era eso o el *welfare*. Así que, cuando lo mismo le pasó a su amiga, tu madre hizo lo único que sabía: la operación. Ella se la hizo, estaba tan arraigada en su cultura que no parecía ser gran cosa. Pero desde luego que eso no es verdad, o estas mujeres no lo hubieran mantenido en secreto, y Peta Ponce ayudó a tu madre a bregar con esa mierda también.

Yo nunca había preguntado por qué no tenía hermanos, pero ahora lo sabía.

—Papo, no llores. Mira, tengo *corn flakes*, papo. Tengo un guineo que todavía está bueno. Tengo estas latas de leche, ¿*okey*? Papo, no llores —dijo, pero yo seguía llorando—. Te puedo preparar un bol de cereal con guineo y leche. —Yo seguía llorando—. Ah, y nos dieron refrescos, no llores. Mira, ¿quieres refresco? Yo no sé dónde encontró el Tío Sam los refrescos, pero nos dieron. ¿Quieres un refresco, papo? No llores. Este viejo aprecia tu compañía, no llores, mano.

Verso 5

TAN PRONTO MAMÁ llegó cansada del trabajo, yo tenía preparado un cubo de agua caliente con sal de Epson y el radio encendido. Ella se rió y lo catalogó como un milagro. El milagro, pensé yo, era que ella me dejara lavarle los pies. Me senté en el sofá y le quité los zapatos. Soledad Bravo interpretaba con tristeza, dulzura y encanto los "Violines de Becho", de Zitarrosa.

Becho toca el violín en la orquesta.

—¿Quién se murió? —repitía ella mientras yo friccionaba sus pantorrillas y le sumergía los pies en agua caliente.

Yo solo me reía porque nunca había hecho esto, pero estaba feliz de hacerlo. Tenía hasta una toalla para secárselos también.

—¿Se siente mejor, Ma?

—Tú quieres algo, ¿verdad, Julio? —me preguntó.

—No.

Soledad Bravo seguía cantando sobre aquel violín abandonado en una esquina.

En la cocina, mi padre estaba preparando un festín.

Una vorágine se tragaba pollos y carnes mientras sus dedos lanzaban especias ecuatorianas como chispazos de electricidad estática. Lanzaba carnes a las ollas que crepitaban como un público aplaudiendo y el humo ascendía y flotaba por todo el apartamento como un genio azul grisáceo. La ballena blanca de nuestro refrigerador se abría y se cerraba sometida a un continuo asalto. Entonces, papá entró en la sala enojado, con las manos en las caderas.

—No tenemos verduras. ¿Cómo es posible que se acabaran las verduras?

El aviso de recompensa decía que el perro era vegetariano, así que le di de comer al perrito todos los vegetales. Ya había devuelto al perro vegetariano y había cobrado la jugosa recompensa, pero se me olvidó reponer los vegetales.

—Iré a comprarlas, Pa —le dije.

—Cuando termines —protestó mi madre y siguió tarareando la triste canción que ponían en la radio.

Mientras Soledad cantaba ese tango tan triste y yo lavaba los pies de mi madre, tuve una visión.

Vi a mi madre.

La vi como una niña de siete años.

Una niñita nadando en el mar Caribe. Chapoteaba y sonreía y no se sentía sola. El agua salada rozaba sus labios y ella saboreaba el sol borincano. El cielo la protegía desde lo alto. Y sé que un niño que se baña en esas aguas jamás podría sentirse pobre. Entonces, la vi en un avión rumbo a El Barrio. Vi cómo se burlaban de ella los niños mayores que habían llegado antes. Vi a una pequeña en la escuela que se sentía perdida entre un mar de niños que hablaban un idioma que ella todavía no entendía. La oí aprender esas primeras canciones: "pollito, chicken / gallina, hen / lápiz, pencil/ pluma, pen". En El Barrio, mi madre se sentía pobre y la ciudad se aseguró de que se sintiera sola. La vi como una nena tropical triste creciendo en un gélido apartamento. Una niña caminando sola a casa de regreso de la escuela. La llave del apartamento colgaba de un cordel atado a su hermoso cuello. Ella caminaba entre pilas y pilas de basura sin recoger a los lados. En su tiempo las calles de El Barrio estaban siempre sucias y rotas. Ella era una niña que regresaba a una casa oscura y silbaba para no sentir la soledad, mientras hacía las tareas y recalentaba la cena de la noche anterior, esperando el regreso de sus padres de las factorías. Esa pequeña que se convertiría en mi madre vivió allí hasta que el edificio llegó a su fin en un incendio provocado y luego vivió en un hotel de asistencia social hasta que la Ciudad los ubicó a ella y a sus padres en los proyectos.

Y entonces, vi a mi madre mayor, pero todavía joven.

Estaba embarazada.

Yo estaba todavía en el horno.

Pude ver su pánico. Sentí su miedo a tener más hijos y al desempleo crónico de mi padre. Y entonces, la vi en una mesa de hospital.

Y regresé a nuestra sala.

De vuelta a lavarle los pies a mi madre.

De vuelta a Soledad Bravo cantando.

Ya no puede tocar en la orquesta.

Lo único que importaba es que mamá fuera feliz. Me salpicó un poco de agua mientras yo preparaba la toalla. En ese instante, me sentí como un niño pequeño.

Mi padre estaba de mal humor.

—Apúrate —resopló—. Mi comida no puede esperar —dijo, y se fue a lavar los platos, acariciándolos como si fueran bebés mojados en sus manos y colocándolos suavemente en el escurridor.

Le sequé los pies a mi madre y le besé el izquierdo. Ella lo retiró.

—¡Qué asco! —dijo, riéndose.

—Ma —le dije, preparándome para ir a buscar lo que papá necesitaba—, todo va a estar bien, no te preocupes. Todo va a salir bien, ¿*okey*? Todo estará bien.

Verso 6

ES DIFÍCIL IMAGINARSE a mi madre joven y hermosa, pero lo fue. Los cuentos de familia dicen que cuando cumplió los 18 años, convenció a su mejor amiga, Inelda Flores, de pintarse el cabello. Mamá sería la rubia e Inelda la pelirroja. Ella esperaba que las conocieran en todo El Barrio como la Rubia y la Roja, pero todos las llamaban simplemente Las Chicas. Las Chicas bailaban como si hubieran nacido dentro de una tumbadora. Mamá e Inelda visitaban todos los clubes de baile de sus tiempos: Corso, el Latin Palace, el Palladium, el Tunnel, Boca Chica, Limelight, Café Con Leche, Tropicana, The Latin Quarter; ya fuera salsa, charanga, mambo, merengue, boogaloo, cumbia, guaracha, plena, bomba, disco, bachata, house, rap, reggae, lo que fuera que tocaran, se podía ver a las Chicas de punta en blanco. Comían, bebían y bailaban. ¿Fumaban? Por supuesto. Cada noche calurosa de sábado en el verano rompían las reglas de su religión, no solo sobre fumar, sino sobre socializar con la gente del "mundo". ¿Se besaban con los muchachos? Claro que sí, pero hasta ahí llegaban, porque su razón de vivir era los fines de semana lejos de sus trabajos y de sus familias. Mamá era vendedora de perfumes, de pie todo el día, rociando a las personas en Gimbels, en la 86 y Lexington, mientras Inelda fotocopiaba en las máquinas Xerox los documentos de otras personas en Copy Cat, en el otro lado de la ciudad, en el Upper West Side. Ambas acababan de graduarse de Julia Richman High School, en la 66 y la Segunda Avenida, y estaban estrenando su libertad. Oí decir que mis abuelos detestaban que mamá e Inelda se comportaran de esa forma. "Eso es lo que hacen los machos, no las señoritas", les decían. Las Chicas tenían una doble vida: una como santas ante los ojos de los ancianos del Salón del Reino de los testigos de Jehová y la otra como Las Chicas en una búsqueda perpetua de la noche perfecta, la coreografía perfecta, el trago perfecto, el beso perfecto, mientras rompían corazones que caían y se hacían añicos como la porcelana. Vivían para un mar de discos rayados en pistas de baile construidas sobre muelles. A Las Chicas les encantaban las citas dobles con muchachos del vecindario a quienes les gustaba hacerse los importantes y gastarse todo el dinero en ellas. La entrada a estos clubes era barata, el precio era la larga fila en la que había que esperar pero, una vez dentro, los tragos eran un asalto a mano armada, de ahí que hicieran falta los gallitos. En aquella época, todo era diferente. Muchos de los integrantes de la Fania All Stars estaban viejos, pero todavía coleando y tocando. Las Chicas alcanzaron a ver en el Palladium a Joe Cuba y su sexteto. Esa no era una banda latina tradicional de baile, eran arquitectos de la vieja escuela que fusionaron los estilos R&B de la música negra americana con instrumentos afrocubanos.

A Las Chicas las cautivaba cómo Joe Cuba infundía elegancia a su sonido al añadir serenos violines y delicadas flautas para balancear los metales predominantemente masculinos. Las Chicas adoraban a Joe Cuba porque su boogaloo invitaba a dar vueltas y ¿a qué muchacha no le gusta que le den vueltas en la pista de baile?

El día de pago, iban a Casa Latina, en la 116, y se gastaban una buena parte de lo que les quedaba del dinero ganado con esfuerzo en discos y casetes. También visitaban Casa Amadeo, en el Bronx. Después, agarraban una radiocasetera *boombox* e iban hasta el lado norte de Central Park a broncearse al sol. Movían el dial buscando canciones bailables, "Live from the Copacabana 1959" de Machito o "Celia Cruz en El Club Flamingo Havana, 1965", transmitidas por WHNR o WMEG. Llevaban sus propias bebidas y hielo, y se tostaban al sol como gandules mientras los niños pescaban en Harlem Meer o patinaban y las familias cocinaban a la barbacoa. Una ciudad diferente, con un índice de criminalidad alto, pero lo sobrellevaban. Las Chicas sabían permanecer juntas, solo necesitaban tener sentido común y un poco de suerte; la seguridad vendría por añadidura. "Solo hay que permanecer juntas" era su mantra, el cual nunca deberían romper. Ellas sabían a qué lugares de Central Park podían ir y a cuáles no. Lo mismo ocurría con las calles de la ciudad el sábado en la noche. Sabían que tenían que guardar dinero para el taxi y nunca usar el *subway* después de las ocho de la noche. Pero en los clubes de baile se acababan las contemplaciones. Las Chicas obedecían la música, aunque siempre permanecían juntas.

He visto fotografías de mi madre de esa época: delgada, brasier *push-up*, cabello rubio oxigenado, lentes de contacto verdes, piernas esbeltas y una cinturita tan diminuta que parecía que se iba a partir por la mitad. Mamá se veía demasiado hermosa para ser real, porque simplemente no lo era. Sus pómulos de india taína, su piel aceitunada, los labios rojos carnosos y las facciones indígenas contrastaban de tal manera con la larga y abundante melena rubia teñida y los ojos verdes que, sin importar lo despampanante y hermosa que se viera, se sabía que era artificial. Dios o la naturaleza nunca podrían repartir tanta belleza o color a una sola persona. Pero a los hombres no les importaba. Cuenta la leyenda familiar que una noche en el Latin Palace, en la 110 y la Quinta Avenida, cuando Las Chicas se abanicaban las caras sudorosas después de bailar el merengue de Wilfrido Vargas, *mami el negro está rabioso / quiere bailar conmigo*, un hombre vestido como si todavía fuera 1970, con el cuello de la camisa más ancho y pantalones de campana le preguntó a mi madre si quería estar en la carátula de su próximo LP. Las Chicas reconocieron de inmediato a Héctor Lavoe. Frente a ellas estaba la persona que había inventado su razón de vivir. Atónitas, sofocadas y halagadas, hicieron lo que la mayoría de las muchachas hacen cuando están juntas, fueron al baño a deliberar. Como todos los que amaban a la Fania All Stars, Las Chicas sabían que Lavoe no era exactamente un donjuán; a él solo le importaba su música y lo que se inyectaba en el brazo. Así que pensaron que era algo seguro y, por si acaso, Inelda las acompañaría, recordando su mantra, "Siempre juntas". Este sería su secreto. Si los ancianos de la iglesia se enteraran, mi madre lo negaría, les diría que no era ella; se parecía a ella, pero no lo era. Lo tenían todo pensado.

La sesión de fotografía sería en Orchestra Records, en Harlem, en el 1210 de la Avenida Lenox, a la una de la tarde. Esa fue la única información que Lavoe les dio a Las Chicas, nada sobre qué ropa ponerse, qué llevar, qué firmar. Nada. Cuando llegaron y dieron sus nombres en el mostrador de seguridad, el estudio de grabación estaba vacío. Esperaron. La primera persona en llegar fue el encargado de la iluminación, un muchacho con pelo largo de Long Island con dos nombres: Frank Christopher. Frank no hablaba de otra cosa que no fuera la apertura de un club de jazz en la 103 y Broadway. Ajustó las luces y tomó montones de fotografías Polaroid de mamá desde todos los ángulos y lados de su rostro. "Actualmente, no hay jazz en el West Side", decía, y tomaba una foto. "Lo voy a llamar Smoke. Ustedes debían pasar por allí, tendrán bebidas gratis". Pero el jazz no era del interés de Las Chicas; ellas adoraban el ardor de la salsa, y ahora una de ellas estaría en la carátula de un álbum de uno de sus dioses. Esperaron. Entonces, llegó la fotógrafa, una señora de mediana edad con pelo blanco, dientes amarillentos y mahones, y zapatos de aspecto hombruno. Agarró las Polaroid que Frank había tomado de mamá y las estudió, buscando sus mejores ángulos. Preguntó a Las Chicas si querían algo. Ya eran las seis de la tarde y tenían hambre. Les dijo que fueran a comer, porque no pasaría nada hasta que Héctor llegara. Entonces, les dijo en español: "Héctor se está puyando y viene cuando le da la gana". Las tomó por sorpresa oír a una mujer blanca hablar español con esa claridad y precisión. Como salseras experimentadas, ya sabían que Lavoe se drogaba. Su banda lo sabía, por eso no habían llegado. Todos lo sabían. No iba a pasar nada por lo menos hasta la medianoche. Por eso el estudio estaba vacío. Mi madre preguntó qué ropa se iba a poner, qué iba a hacer en la fotografía. La fotógrafa le explicó la composición. Le dijo que ella estaría en ropa interior sobre una tabla de planchar rodeada por la banda de Héctor Lavoe y Willie Colón, quienes sostendrían planchas en las manos e imitarían movimientos de planchado. Ah, y eso dependía de que a Lavoe le gustara su ropa interior para la foto. De lo contrario, tendría que estar desnuda sobre la tabla de planchar. El título del álbum: *La Plancha*.

Las Chicas continuaron divirtiéndose y siendo Las Chicas, pero nunca cruzaron la raya que pudiera hacerles daño desde el punto de vista religioso o a sus familias. De pronto, los 18 se convirtieron en 28 y, para las latinas solteras y sin hijos, ese es el beso de la muerte. Los padres de ambas las agobiaban con la cantaleta de que tenían que casarse y tener hijos, mantener una casa. "Se van a quedar jamonas", les decían, "solas con gatos". Pero ellas continuaban trabajando duro y bailando aún más. En poco tiempo, mi madre aprobó un examen de la ciudad y ahora era secretaria municipal para la MTA. Inelda, por su parte, era recepcionista de un cirujano facial chic en el centro de la ciudad. Y continuaron la fiesta. La mayor parte de sus cheques pertenecía a sus familias, pero los fines de semana eran para Las Chicas.

La insólita experiencia de la sesión fotográfica de mi

madre en el estudio de grabación nunca abandonó a Inelda. O, mejor dicho, ella nunca olvidó el estudio de grabación. Inelda siempre había cantado. Cuando estudiaba en la Julia Richman High School, cantaba en obras de teatro, reuniones y desfiles de moda. Se podía oír la voz latina colmada de emoción de Inelda en fiestas de vecindario, bodas y despedidas de soltera. Nunca en la iglesia, porque los testigos de Jehová no movían el esqueleto como hacen los pentecostales en las esquinas de la calle, lo que hubiera lanzado al estrellato a Inelda en su iglesia. El karaoke apenas empezaba en los Estados Unidos. Inelda deseaba cantar. Amaba a Lisa Lisa, Prince, Stacy Lattisaw. Adoraba a Irene Cara, Alison Moyet sola o con YAZ; Teena Marie, sobre todo *Lover Girl*; los Latin Rascals, Brenda K. Starr, Olga Tañón, las Cover Girls, Expose, Luther Vandross y, durante un tiempo, no se cansaba de oír a Jon Secada; pero su alma pertenecía a todo lo relacionado con la salsa. Inelda había visto avisos de audiciones en Orchestra Records para coristas, parece que siempre se necesitaban segundas voces. Y así, Las Chicas regresaron diez años después, solo que esta vez para que Inelda pudiera cantar.

Las Chicas llegaron juntas, siempre juntas, junto a otros aspirantes a cantantes. Pasaron la seguridad y subieron por las estrechas escaleras que conducían a los estudios de grabación de Orchestra Records, donde todo se producía a bajo costo. Hacían vinilos, muchos discos de 78 RPM que se rompían con la misma facilidad que las cáscaras de huevo, mayormente con bandas y cantantes desconocidos que Orchestra Records tenía la esperanza de que saltarían a la fama, pero la mayoría solo vendía unos cientos de copias y el resto terminaba en cajones de leche en los pisos de las botánicas como San Lázaro y Las Siete Vueltas, Otto Chicas o El Congo Real, o en las barberías de los vecindarios latinos en distintas ciudades de los Estados Unidos. Fuera de una puerta roja con un letrero que decía *STUDIO*, había una salita de espera donde Las Chicas se sentaron en sillas de tijera, junto a otros que también esperaban ser llamados. En la pared había fotografías de las estrellas del sello discográfico pegadas con cinta adhesiva. Había una ventana de cristal que daba al estudio y Las Chicas podían ver a los músicos preparando sus instrumentos de latón, con sus botellas de licor en el piso junto a ellos. El estudio sin ventanas exteriores era del tamaño de una cocina grande, con paredes de corcho para que el sonido se quedara dentro, dos grandes micrófonos RCA en el centro y otros cuatro para los músicos del estudio. Las trompas se acomodaban a un lado del salón; la batería, la conga, los timbales, el bajo y el piano se colocaban en el otro lado; algunos permanecían de pie, porque estaba abarrotado; y otros tenían que improvisar sus espacios. El centro estaba reservado para el cantante. Pero, según los relatos familiares, lo que ocurrió en este cuento de hadas fue que, cuando llamaron a Inelda para la audición, un sapo se presentó disfrazado de príncipe y flechó a mamá.

Lo que ocurrió después solo lo sé porque, cuando era pequeño, me encantaba que mis padres invitaran a los amigos a casa a tomar algo. Tocaban música vieja, bebían demasiado y hablaban sobre cosas que deberían haber dejado enterradas. Me decían que me fuera a dormir, pero yo me quedaba en mi habitación, con la oreja pegada a la puerta para oír las conversaciones de los adultos. Oía a mis padres medio borrachos contar historias sobre su juventud. Fue durante una de estas fiestecitas —yo tendría alrededor de doce años— que oí hablar de Bobby Arroyo, "El pollo con la voz". Era un salsero por quien Orchestra Records apostaba fuerte. Habían invertido en él una buena cantidad de dinero y su Mercedes Benz era la prueba. Se pavoneaba como un *Latin lover* que se creía la última Coca-Cola en el desierto. Oí decir que Bobby tenía buena voz, no extraordinaria, pero buena. Eso sí, era excelente escribiendo letras y lo hacía al vuelo, la reencarnación de Lavoe, quien acababa de fallecer. No obstante, sus arreglos necesitaban ayuda y tampoco era la gran cosa como compositor. Orchestra Records iba a rodearlo con el mejor talento que tenían, mientras el universo se estremecía con su debut. Por su pinta arrolladora iban a promocionarlo como Bobby "El pollo con la voz" Arroyo. Pero lo que lo hacía más vendible no era tanto su apariencia física, sino que Bobby podía echárselas de ser el descendiente nacido en Estados Unidos de cuatro nacionalidades latinoamericanas; y no cuatro cualesquiera, las Cuatro Grandes. Su madre era puertorriqueña y cubana. Su padre era dominicano y mexicano. Orchestra Records podía oír sonar las cajas registradoras por toda América y, particularmente, en las ciudades estadounidenses como Nueva York, Chicago, Miami, Boston, DC y Los Ángeles. Puertorriqueños, dominicanos, chicanos y cubanos, todos podrían reclamar que Bobby "El pollo con la voz" Arroyo era de ellos.

En mi familia, como en la mayoría, nos hacen creer a los niños que nuestras madres únicamente han estado enamoradas de nuestros padres, y viceversa. No es verdad. Yo solo supe de Bobby por los chismes que corrían en los jolgorios de los amigos, por los vecinos y en la iglesia, así como recientemente me enteré por Salvador de otras cosas de las que no tenía la menor idea. Son estos secretos los que engendran más secretos cuando una familia intenta ocultarlos. Oí que mi madre se enamoró locamente de ese individuo. Estaban siempre juntos, ya fuera en la playa o en La Marqueta; ella le echaba el brazo como si lo hubiera conocido de toda la vida. En el verano, iban a Coney Island. En el invierno, patinaban sobre hielo en Lasker Rink, o iban a la bolera; sí, a la bolera de la 42, en Port Authority. Pero las noches eran para sus presentaciones de salsa, que, si eran en Nueva York, mi madre no se las perdía; luego venía la fiesta posterior, a la cual mi madre, quien aún vivía con sus padres, no podía asistir. Todas las veces Bobby le decía a mamá: "Solo un chin, un chin, mami, nada más un rato". Pero eso quería decir que se quedaría toda la noche. Mamá tenía que irse sola, pero le importaba poco. Mi mamá estaba dispuesta a casarse con este tipo. Hubiera sido malo casarse con alguien que no fuera testigo de Jehová, pero, por lo menos, saldría de la casa de sus padres con todas las de la ley. Pero eso fue imposible pues resultó que Bobby "El pollo con la voz" Arroyo ya estaba casado y con hijos.

La carrera musical de Bobby se desplomó tan rápido como floreció, y nunca habrá otro Héctor Lavoe. Las ventas del debut de Bobby "El pollo con la voz" Arroyo fueron irrisorias. Ni Super KQ ni La Mega tocaban su sencillo "Apriétame la cintura", como tampoco lo hacían otras estaciones en español. Su mánager acosó a Orchestra Records para que lanzaran un sencillo que él consideraba era más bailable, "Tirando a pelota", pero obtuvieron los mismos resultados. Pronto comenzaron a escasear las presentaciones. Su mánager convenció a Orchestra Records para correr el riesgo de costear un gran concierto de verano gratis en Central Park. Llovió durante tres días y, cuando el sol volvió a asomarse, había más mosquitos que gente en el césped. Su mánager lo emparejó entonces con otros números establecidos en Orchestra Records, pero tenía tan poca atracción que nadie lo quería. Los artistas perdían dinero cargando con "El pollo con la voz" en sus facturas. Se amotinaron, amenazaron con irse a la Fania tan pronto vencieran sus contratos.

Pero mi madre todavía lo quería. Después del trabajo, hacía con calma el largo recorrido en autobús desde El Barrio hasta el Westside, al otro lado de la ciudad, y hasta el bar *country-western* donde Bobby se pasaba el día bebiendo. Se sentaba al lado de Bobby "El pollo" Arroyo en un bar donde ningún sonido que escapara de la vellonera de música country pudiera arrastrarlo de vuelta a un pasado fallido. Ella inventaba excusas por él. "Que él ha estado bajo mucha presión". "La culpa es de Orchestra Records". "La culpa es del mánager". "Eligieron mal los sencillos que iban a lanzar". "Pasaron por alto los números buenos, los que resaltaban su voz y tenían un ritmo de salsa tin-tirin-tin-tin extraordinario que era irresistible". Mi madre culpaba a todos, menos a Bobby "El pollo" Arroyo, y me parece que esto lo santificaba ante sus ojos. La mayoría de las noches, mi madre subía a Bobby borracho en un taxi y se lo llevaba de vuelta a su esposa. Lo dejaba en la puerta, con la esperanza de que la esposa lo encontrara fuera del apartamento. Nunca conoció a sus hijos, y tampoco conoció a su esposa, pero ambas sabían de la existencia de la otra. Una noche, cuando mi madre llevó a casa al borracho Bobby, su esposa le había dejado una nota fuera de la puerta: "Yo lo aguanto porque me paga la renta. Pero tú, ¿por qué?".

Entonces, una noche en Yogi's, mientras David Allen Coe cantaba sobre recoger a su madre de la prisión, sonó el teléfono público en la pared, al lado de un gran oso de madera. La cantinera lo contestó. Ella no sabía cómo, pero sabía que Bobby "El pollo con la voz" Arroyo iba allí a beber. Cubrió el teléfono con la mano y gritó hacia donde estaba Bobby sentado al lado de mi madre:

—¡Tu mánager!

Estoy seguro de que Bobby y mi mamá deben haber sentido un rayito de esperanza. Una fe en un dios que no dejaría que tocara fondo.

—¿Quieren que haga un disco? —preguntó por teléfono.

—No, Bobby, eso es lo último que quieren.

En Orchestra Records tenían a este muchacho fresco y bien parecido, un cantante genial de reguetón, puertorriqueño, colombiano, nicaragüense-hondureño, y, al igual que su origen, su música era representativa de todo. Tenía una pizca de salsa, merengue, hip hop, incluso jazz latino, todo atado por la fuerza del reguetón. Proyectaban que sus ventas serían astronómicas y, dado que su apellido era también Arroyo, él quería ser el único e irrepetible "Pollo". Acosó a Orchestra Records para que recuperaran ese nombre. La disquera no tuvo opción. Pensaron en una promoción que correría por todo Telemundo donde recrearon la cocina en la que habían grabado el primer y último video de Bobby "El pollo con la voz" Arroyo, con algunas bailarinas vestidas exactamente igual. Luego, Bobby aparecía en la pantalla para decir las palabras: "Yo ya estoy cocina'o". Entonces, llegaba el muchacho, empujaba a un lado a Bobby y comenzaba a cantar un reguetón con la velocidad de un rayo: "Yo soy el nuevo pollo, el único con orgullo, Jessie Arroyo. Tú tienes un hoyo cuidado con mi pollo". Fue un hit. Le pagaron 200 pesos a Bobby, quien regresó a su lento languidecer.

¿Inelda?

¿El mantra de "Siempre juntas"?

Mi madre se embelesó con este hombre como una melodía recurrente y se olvidó completamente de su mejor amiga. En la audición de Orchestra Records, mamá abandonó de plano a Inelda tan pronto Bobby apareció ese día y dijo: "Mami, ¿cuál es tu nombre?". Me encantaría decir que me contaron en detalle lo hermoso que cantó Doña Flores ese día, años atrás. Me encantaría decir que en mi familia hemos hablado sobre el día en que la voz de Inelda dejó chiquita a Mercedes Sosa. Por amigos de la familia y los chismes de la iglesia, todo lo que sé de ese día son fragmentos sobre la manera en que Inelda cantó un bolero a capela y de cómo la gente en ese lugar experimentó un cambio. La voz de Inelda les dijo a todos que las latinas pueden cantar las canciones tristes como ninguna otra persona, porque no están cantando verdaderamente. Están contando la historia de nuestro sufrimiento y de cómo ese sufrimiento es un puente que nos une y todos tenemos que cruzarlo o moriremos. He oído decir que cuando Inelda terminó su número, se podía oír caer un alfiler. Pero Inelda nunca volvió a Orchestra Records. Tenía miedo de ir sola. Su mejor amiga la había plantado. Después se encerró en sí misma aún más. No sé nada más de Doña Flores. Lo que sé es que esa debe ser la voz que heredó Taína.

Sobre lo que ocurrió después con mamá, aquí las cosas se empañan como las cortinas de baño; las imágenes se vuelven opacas y borrosas. Comenzó con un ojo morado. El tal Bobby estaba muy borracho una noche. "El mejor sonero del mundo, sí señor", después de darse otro palo de whisky le abolló un ojo a mi madre. Le dijo que se callara. Que había tenido suficiente y que todas esas excusas que ella se inventaba por él no importaban. Él era el mejor. Él seguía siendo excelente, no importa lo que digan, mejor que todos los demás. "Lavoe", gritó antes de que los echaran de ese bar, era un canario en heroína. Pero yo, yo soy "El pollo con la voz". Esa noche, mi madre llegó a la casa de los padres desaliñada, atemorizada y llorando. Me dijeron que los vecinos la vieron. La familia y los amigos la vieron. Todos la vieron. Todos oyeron lo que ocurrió o tenían sus propias versiones. Algunos decían que fue algo peor que un ojo morado. ¿Por qué sus padres estarían tan avergonzados que llevaron a mi madre "de vacaciones" a Panamá? ¿Por qué abandonar la ciudad, como hizo María cuando quedó embarazada? Yo qué sé. Cuando yo tenía doce años y escuché en secreto desde mi habitación la conversación de los adultos, lo que me llamó la atención no fue por lo que pasó mamá ni lo que le ocurrió a Inelda. Lo que me llamó la atención fue no haber oído nunca, en ningún momento, a mi padre decir una palabra. Todos sus amigos la interrumpían, se reían, le preguntaban algo, pero nunca oí a mi padre. Solo puedo imaginarlo callado, mirando al vacío, con una cerveza en la mano, dejando a mamá contar una historia sobre la que no podía hacer nada. Una historia que quizás mi madre nunca debió haber contado. O, al menos, no delante de él.

TÚ SABES QUIÉN te ama por los regalos que te da. No tienen que ser regalos costosos, solo tienen que reflejar una parte de ti y de esa persona. Hay una pintoresca librería en la 103, entre Park y Lexington, llamada La Casa Azul. Tiene un toldo azul y un mural en un costado donde destacan íconos mexicanos como Frida Kahlo y poetas *nuyorican* como Pedro Pietri, junto con muchos esqueletos. Le pregunté a la dueña del lugar, la guapísima dama chicana Aurora Anaya, si me podía sugerir algunos libros que le pudieran gustar a una chica de quince años. Me dio algunos títulos. Los compré, junto con un libro sobre el origen del universo. Luego, tomé el 6 al centro. Compré un iPod y revistas para Taína, una camisa de cocodrilo para BD, una cámara para Sal, sábanas de lino para la cama nueva de Doña Flores y utensilios de cocina para mi padre. Para mi madre, flores, unas pantallas y un CD de los éxitos de José Luis Perales. Estaba contento con todas mis compras porque sentí que en mis regalos ellos verían lo que yo veía en ellos. Y en mis regalos podrían leer cuánto me querían.

—¿ESTÁS SEGURO DE que no están calientes? —me preguntó mamá cuando le di las pantallas.

—Ma —le reclamé—, ¿te traigo un regalo y me acusas de robarlo?

—Está bien, Julio, pero... —Se mordió el labio inferior porque le gustaban—. El otro día me lavaste los pies, ahora me regalas joyas. ¿Eh? No sé...

—Me va muy bien con el trabajo, Ma. —Vi a mi padre en la cocina abriendo el refrigerador, emocionado por ver qué puede preparar con sus nuevos utensilios.

—¿Leíste la revista *La Atalaya* que te dejé? —me preguntó mamá.

—Sí —le dije para complacerla.

—Y sabes que tienes cita con el doctor —me dijo, sujetando con fuerza los pendientes—. ¿Todavía crees que la Taína esa se preñó sola?

—¿Otra vez? —Suspiré—. ¿Otra vez?

—¿Lo crees?

—Tú lo crees —le dije en broma—. Tú vas todos los domingos a la iglesia a saludar a su Hijo.

Pero no podía vacilarla mucho. Algunas veces podía, pero ahora las circunstancias eran diferentes.

—Sabes de qué estoy hablando —me dije, un poco molesta—. Mejor que vayas a la cita con el médico.

—Claro —le contesté, porque después de saber por todo lo que mamá había pasado, ella no podría equivocarse.

—Yo voy contigo.

—Ma, no. —Protesté solo porque ir al médico con tu madre es vergonzoso—. Tengo diecisiete, puedo ir solo...

—O no ir y decir que fuiste. Así que voy contigo y se acabó.

Con la misma se dirigió al estéreo para poner su nuevo CD de José Luis Perales.

Quisiera decir / Quisiera decir, tu nombre

Mi padre cerró el refrigerador.

—Ya sé qué voy a preparar —gritó—. Voy a salir a buscar los ingredientes para cocinar seco de chivo.

Esa es la versión ecuatoriana del asopao puertorriqueño.

—Yo odio eso, Silvio. —Mi madre se olvidó de tararear—. Yo no como cabrito ni venado. Más vale que no vayas a comprarlo.

—¿Lo has probado alguna vez? ¿No? Entonces, ¿cómo sabes que no te va a gustar?

—¡Ay, bendito! Yo no necesito un agujero en mi cabeza para saber que no quiero un agujero en mi cabeza.

—Lo voy a hacer de todas maneras. Y aunque se llame seco de chivo se puede hacer con cualquier carne, hasta con pollo.

—No me importa. No te voy a servir —sentenció mamá.

—Está bien. Yo serviré y Julio y yo comeremos.

Ambos me miraron.

Tenía que escoger un bando.

Después de que mi padre perdió su trabajo, cocinar era el único poder que tenía en la casa. Mamá trae el dinero y, ahora, yo también. Mi padre quería preparar este plato ecuatoriano porque era su forma de decir que tenía control sobre algo en la casa. Yo creo que son iguales. Mi madre amaba a Puerto Rico, pero lo dejó atrás, y lo más cercano era El Barrio. Pero mi padre nunca sintió eso por Nueva York. El Ecuador de su juventud comunista era lo que lo sostenía.

"El día llegará", le gustaba sermonear en la mesa a la hora de la cena, "cuando nacerá el Nuevo Hombre y traerá un Nuevo Orden, donde todos los cobradores y los vividores del *welfare* serán colgados por su ropa interior". Sonaba como Fidel Castro. De pequeño, yo también esperaba ese día. ¿Cuándo llegaría? Yo sabía que no tener que pagar renta significaba más dinero para gastar. Quizás más dinero para comprar carne fresca y no tener que comer sobras. Quizás dinero para que yo pudiera tener un segundo par de mahones, un segundo par de tenis y, si sobraba algo, quizás ir al cine. Los panfletos comunistas de mi padre estaban llenos de fotografías de hombres fuertes y felices recogiendo las cosechas; sus esposas pechugonas les traían agua, manzanas y pan; y los nenes, como yo, recogían flores. Sobre nosotros, el camarada comunista Lenin nos abastecía a todos con abundancia.

Mi madre refutaría: "Es Dios quien destruirá a toda la gente malvada y convertirá la tierra en un paraíso. Llegará un Nuevo Orden, pero será por Jehová". De pequeño, yo también esperaba ese día. ¿Cuándo llegaría? Las revistas *La Atalaya* de mi madre pintaban ese glorioso paraíso con las mismas coloridas fotografías de hombres fuertes y felices recogiendo las cosechas; sus esposas pechugonas también les traían agua, manzanas y pan; y los nenes, como yo, jugaban con cachorros de tigres, leones y cebras y comían toda la fruta fresca que pudieran saborear. Sobre nosotros, la mano de un Jehová invisible abastecía con abundancia a todos los habitantes de la tierra.

Mis padres no se conocieron aquí, sino en Panamá. Papá había sido desterrado de Ecuador por comunista. En Ecuador no te matan, te dan un pasaje de ida a cualquier país de Centroamérica. Él eligió Panamá en lugar de Nicaragua, porque en Panamá todavía era posible hacer una revolución, mientras que en Nicaragua hubiera sido como operar a una persona sana. Allí conoció a mamá. Ella estaba de vacaciones con sus padres. Estaba más deprimida que un sauce llorón. Sus padres pensaron que le haría bien salir del país y tomar un poco de sol. O tal vez fue por la vergüenza que les produjo el incidente con el cantante Bobby que solo querían olvidar todo lo que había pasado. Nunca lo supe a ciencia cierta. Solo sé que ella vio a este *punk* rojillo quien, según los cuentos de familia, la vio y le envió una nota que decía: "Cuando te vi, comenzaron a crecer flores en mi mente". Y ese fue el comienzo. Mi madre amaba a los chicos malos y pensó que papá era uno de ellos puesto que no era de un bar de donde lo habían echado, sino de un país. Nada más lejos de la verdad. Para mi padre, como para la mayoría de los comunistas de la América Latina, la revolución no pasa de las palabras.

Mi padre veía a los Estados Unidos como el enemigo. "El capitalista que arrancaría los colmillos al último elefante en Kenia para tener un apartamento de dos dormitorios en East Hampton", aseguraba. "Cortarían el último árbol de caucho en Brasil por una tarjeta de Diners Club". "No tienen amigos, porque han adoptado la ley de la selva y se comerían unos a otros si la Bolsa de Valores lo permitiera". "Mis hijos no nacerán bajo un cielo verde capitalista, sino bajo uno azul", decía. La cuestión es que mamá era sexy. Todavía se pintaba el pelo de rubio y usaba los lentes de contacto verdes, y los trajes ajustados marcaban más curvas que una carretera estadounidense. Ella le habló de este lugar en Nueva York donde todos hablaban español. No había necesidad de aprender inglés. Él podría encontrar fácilmente un trabajo con su título de ingeniería de la Universidad de Guayaquil. Ese sitio mágico era El Barrio, en Manhattan. Así que se casaron y, para cuando mi padre se dio cuenta de que la realidad no era como la pintaban, que su título de Ecuador era inútil, que tenía que aprender inglés y que no era fácil encontrar trabajo, yo había sido concebido.

—Yo me lo comeré —le dije, para que mi padre se sienta bien—. Comeré el seco de chivo.

Él cocinaba, después de todo, y yo lo probaría.

—¡Qué asco! —dijo mamá—. Voy a salir a comprar comida. Arroz, gandules, pasteles, chuletas, pechuga de pollo, ¿entiendes? Comida normal.

—¿Y qué es comida normal? —preguntó mi padre.

—Lo que te acabo de decir.

—Eso es normal para ti, pero en China...

—No estamos en China. Yo quiero comida normal —repitió mamá.

Mi padre decidió no discutir. Gruñó y resopló. Fue a ponerse los zapatos. El nuevo perro faldero que yo había tomado prestado estaba acostado sobre el almohadón de su cama junto a ellos. Sin decirme nada, mi padre tomó la correa y se la puso al perro. Quise decirle a papá que no podía llevarse al perro, pero mi padre estaba furioso. Además, pensaba que al pasear al perro y comprar los víveres estaba matando dos pájaros de un tiro, así que lo dejé. Fui a mi habitación y busqué ropa limpia. Cuando terminé de vestirme, busqué el iPod, los libros y las revistas para Taína. Cuando iba de salida, vi a mi madre mirándose al espejo. Las pantallas colgaban a ambos lados de su rostro sonriente y ella tarareaba: *Quisiera decir / Quisiera decir / Tu nombre.*

Verso 7

CON UN IPOD, un galón de helado, víveres, sábanas, libros, revistas y pañales biodegradables —porque había leído que los pañales causan daño al medio ambiente— y un sobre lleno de dinero, toqué a la puerta. Ya no tenía que esperar.

—Pasa, papo. Pasa. —Era Sal—. Esta no es mi casa, así que no puedo ofrecerte comida, ¿sabes?

—Está bien, ya comí —le dije.

—Nosotros también. Digo, si hubiera sabido que venías. La próxima vez, ¿okey, papo? La próxima vez. —Me ayudó a apilar las cajas de pañales contra la pared y a llevar los víveres a la cocina.

Un televisor de pantalla plana de paquete colgaba de la pared de la sala. Estaba puesto Telemundo, un programa de variedades en el cual una mujer con poca ropa se doblaba para llenar un vaso de agua en el dispensador de la oficina. Un hombre intentaba hacer fotocopias cerca y, al ver el trasero de la mujer, la máquina Xerox empezaba a expulsar papeles por todos lados. El volumen de la pista de las risas estaba muy bajo, como si Doña Flores no quisiera que ninguno de sus vecinos oyera que ella, al igual que muchos latinos, disfrutaba de este tipo de comedia. Era comedia de la vieja guardia. Bufonadas con muy poca inteligencia, pero eso es lo que les gusta ver a nuestros padres.

Vi que el sofá estaba envuelto con frisas y almohadas. Pensé que Salvador se había quedado a dormir la noche anterior, pero pronto me di cuenta de que ahí era donde realmente dormía Doña Flores, puesto que este apartamento era de un solo dormitorio y Taína tenía su propia habitación. Busqué a Taína. La puerta de su habitación estaba cerrada.

Salvador fue a buscar a su medio hermana. Ella estaba en el baño y él tocó a la puerta. Cuando Doña Flores salió, estaba reluciente, como si fuera ella la que estuviera embarazada. Lo primero que hizo fue preguntar por el dinero. Le di el sobre. Los ojos de Doña Flores se le querían salir de las órbitas. No preguntó cómo estábamos mi madre o yo. Nada. Todo lo que dijo fue: "Juan Bobo, Tate está en su cuarto, solo toca antes de entrar, ¿okey?". Doña Flores y Salvador se sentaron juntos en la mesa de la cocina. Distribuían el dinero, mientras hablaban en voz baja sobre Peta Ponce.

Yo nunca había visto el dormitorio de Taína ni de ninguna otra chica, así que no sabía qué esperar. Cuando toqué suavemente y dije mi nombre, oí la voz agitada de Taína: "¡Coño! Ahora me tengo que vestir. ¡Espérate!". Con el helado, los libros y las revistas en la mano, esperé nerviosamente. "Ok, pasa, imbécil", me dijo desde el otro lado.

Abrí la puerta y entré. No cerré la puerta por completo, dejé que un rayo de luz con aire de culpabilidad escapara de la habitación hasta la sala, donde seguía encendido el televisor.

La habitación de Taína olía a polvos de talco de bebé mezclados con algún jabón suave de sutil aroma a melocotón. Las paredes no eran rosa, como pensé que eran todos los dormitorios de niñas, sino de un blanco hueso, parecido a las polillas. No tenía pósteres de estrellas de cine ni de gatitos o perritos, ni ninguna otra cosa aparte de un espejo en la pared. Una alfombra multicolor cubría la mayor parte del piso y el gavetero era de un tono carmesí oscuro que combinaba con las sábanas, el edredón y los cojines. Pensé que era un color bueno porque los tonos rojos oscuros ocultan las manchas y la suciedad. Yo siempre me babeaba cuando dormía, así que yo también tenía sábanas rojas para ocultar la baba.

Taína miró lo que yo traía. No se lanzó sobre el helado o las revistas, sino sobre los libros. Me los quitó de las manos y volvió a sentar lentamente su cuerpo preñado sobre la cama. Recostó la espalda contra la cabecera, donde había colocado una almohada para mantenerse erguida. Dio palmadas en el lado de la cama junto a ella para ordenarme que me sentara. Su cama era un aterrador basurero de sobras de Cheetos, Doritos, palomitas y papitas. Me preguntaba dónde estarían las cucarachas. Debían amarla tanto como yo. Me senté nerviosamente a su lado. Sentí que nuestros muslos se rozaban en la cama. Mi sistema de circuitos explotó y, sin embargo, se sentía tan natural como respirar.

—Imbécil, estúpido idiota, quítate los zapatos. No me ensucies la cama.

La cama estaba llena de migajas, así que yo no sé de qué hablaba. Pero me quité los zapatos, los puse con cuidado en el piso y me senté al lado de ella.

Taína se había puesto una camiseta encima de la misma bata que siempre usaba, pero esta vez estaba menos arrugada, como si fuera nueva. La bata le cubría las piernas, pero no sus adorables pies cuyos tobillos hinchados estaban llenos de agua. Faltaban solo algunas semanas para la llegada de Usmaíl.

—Me gusta tu cuarto —le dije.

Taína se encogió de hombros. Siguió leyendo las cubiertas de los libros. Sus labios apenas se movían, como si estuviera orando en silencio. Había una luz difusa detrás de ella, igual a la que se ve en los cuadros de los santos en el Met. No quiero sonar tonto, pero yo la vi. Era un resplandor dorado que se cernía sobre su cabeza, como si hubiera una luz detrás de ella. Pero entonces el resplandor se atenuó y desapareció.

—¡Estos libros están brutales! —Los apretó contra su pecho mientras cruzaba y descruzaba las piernas, que estaban extendidas sobre la cama.

—¿Quieres helado? —le pregunté, porque iba a derretirse pronto si ella no lo guardaba—. Te traje helado. Tengo helado...

—No, no quiero helado de mierda. ¿Me trajiste chicles? Lo olvidé.

Sentí pánico y ella se dio cuenta. Exhaló y movió la cabeza.

—Era de esperarse. ¿No puedes hacer nada bien? La próxima vez, más vale que traigas.

Puse el helado en el piso junto a mis zapatos y le di el iPod. Le dije que ya lo había conectado al internet wifi que teníamos en casa y solo tenía que crear su propia cuenta y bajar toda la música que quisiera.

—¿En serio? —Estaba emocionada, pero no me creía.

—Sí —le contesté.

Taína sabía cómo manejar el iPod. Creó una cuenta rápidamente y sonreía mientras escribía.

—¿Quieres saber mi *password*? —me preguntó. Yo asentí—. *Okey*, es Bigbichos2000. —Se estaba esforzando por ocultar su entusiasmo y no reírse.

—Qué buena contraseña. —No sabía qué otra cosa decir—. Difícil de averiguar.

Tener música otra vez en la casa la alegró. Por un par de segundos, tarareó. Era una linda melodía y era lo más cerca que yo había estado de oírla cantar. Me parece que quería seguir tarareando, pero se veía nerviosa. Entonces, escondió el iPod y los audífonos debajo del colchón.

—Mami no puede ver esto.

—¿Por qué? —le pregunté—. Es solo para escuchar música, de verdad.

—Ella dice que la música perturba a los espíritus.

—Ah —le dije.

—Sí, ella dice que los espíritus se confundirán y olvidarán lo que me pasó si oyen música.

—¿Crees que eso sea cierto?

—Pues, si lo es, entonces esos espíritus son más estúpidos que el carajo —dijo, y escondió el iPod—. Lo escucharé cuando mami esté dormida.

Yo lo dejé pasar.

Taína volvió a sus libros.

Le traje *Under the Feet of Jesus, Caramelo, When I was Puerto Rican* y *How The Garcia Girls Lost Their Accents.* Taína no podía estar más feliz, pero cuando vio el libro sobre el universo, me fulminó con la mirada.

—¿Qué... carajo... es esta mierda?

—Es el origen de nosotros —le expliqué—. Quiero decir de todos nosotros, de todo, de los planetas, el sol, otras galaxias, todo. Cómo comenzó todo.

Cosmos era un libro de gran formato, con impresionantes fotografías de nebulosas y galaxias, y describía el nacimiento del universo. Yo lo había visto muchas veces en la biblioteca de la escuela. Me gustaban las fotografías. Pero lo que verdaderamente me gustaba era cómo explicaba todo en términos comunes y corrientes. Explicaba todo simple y llanamente en un lenguaje que todos podrían entender.

—Mira, Taína —*Cosmos* me hacía sentir y sonar inteligente—. El universo, al igual que Usmaíl, se creó a sí mismo, ¿ves? —Ella empezó a hojear las imágenes—. Es similar a lo que ocurrió en tu cuerpo. Un átomo le preguntó a otro si se podían unir y ese otro átomo dijo "Sí". Más o menos de la manera en que el universo comenzó con la palabra "Sí". No había nada más que estas partículas flotando y una partícula le preguntó a otra si quería unirse y esa partícula dijo "Sí" y ¡bum! el *Big Bang*. Solo ocurrió. En el principio era la palabra, pero la palabra era "Sí". ¿Ves? No hay necesidad de un Padre ni de un Dios, solo un Sí.

—Sí —se burló Taína—. ¿Me preguntas si este libro apesta? Sí. —Tiró el libro a un lado—. Y no me hables de esa estúpida revolución, por favor. Ya vomité hoy y te mato si me haces vomitar de nuevo.

Le dije de todos modos que el universo tomó consciencia a partir de la nada. Lo que le ocurrió a ella fue algo similar. Hace mucho tiempo, todas esas proteínas y aminoácidos flotaban en una sustancia viscosa, en un foso con aspecto de matriz aquí en la Tierra hace millones de años. "Surgimos de esos charcos viscosos", le dije, "igual que los bebés".

—¿Dónde hay una foto de esos cochinos charcos? —exigió, abriendo otra vez *Cosmos*.

Creo que esto capturó su atención, porque volvió a hojear las imágenes con más cuidado. Examiné sus pequeñas manos y vi sus uñas mugrientas, pero no me importó nada la suciedad pegada entre ellas.

Le mostré la fotografía de una Tierra joven con apariencia de volcán y le dije que los charcos estaban ahí.

—¿Cómo va a ser? —Hizo una mueca—. No veo un carajo. —Cerró el libro—. Me estoy aburriendo y no me trajiste chicle. Y tus zapatos me ensuciaron la colcha, imbécil, estúpido idiota.

—Escucha, Taína, dentro de tu cuerpo se libró una revolución, *okey*...

—*Okey* nada. ¡Para! —Exhaló fuerte y su estómago se levantó como una montaña—. Por eso mami quiere que la perra esa de Peta Ponce venga, *okey*. La espiritista la ayudó después que yo nací. Yo sé todo eso. Lo que mami se hizo.

Yo sabía de lo que hablaba Taína. Sal me lo había contado. Fue entonces cuando comprendí que cosas como esas son fáciles de reprimir. Son tan terribles que haces todo lo que puedas para olvidarlas y, en poco tiempo, te engañas a ti mismo pensando que nunca ocurrieron.

—Y mami dice que la espiritista me ayudará a mí también. Ella me sacará la verdad. —Descartando *Cosmos* como si fuera un pañal sucio, añadió: Y yo sé, Julio, que esa estúpida bruja espiritista no va a decir nada sobre una estúpida revolución de mierda ocurriendo dentro de mi cuerpo, *okey*.

—¿Cómo sabes que Peta Ponce no va a decir nada sobre una revolución en tu cuerpo?

—Porque lo sé.

—¿Cómo lo sabes?

—Solo lo sé.

—¿Cómo lo sabes?

—¡Puñeta, porque lo sé!

Sin mucho trabajo, Taína se levantó de la cama y se paró frente al espejo.

—Lo que sé es que esta mierda en el ojo me está matando. Ven acá —me ordenó, e inclinó la cabeza hacia atrás, abriéndose el ojo izquierdo color avellana para tratar de sacar una basurita—. Sopla, pero suave, no duro, imbécil.

Muy nervioso, le sostuve con suavidad las tibias sienes y nos quedamos frente a frente. Yo era siete pulgadas más alto que los 5'1" que ella medía y estaba mirando hacia abajo a sus santos ojos.

—El cabrón está ahí, puedo sentirlo. —Sus ojos oscilaban. Soplé con suavidad su ojo avellanado en movimiento—. Suave, suave, imbécil, estúpido idiota, suave.

Su cuerpo se tensó brevemente y volvió a aflojarse. Entonces, sus adorables labios se separaron. Sentí el calor de su redondez contra mi estómago. Entonces, mis labios rozaron brevemente las comisuras secas y ásperas de los suyos con un beso rápido, hasta escurrirse impacientes para apretarse en los labios de Taína.

Sentí sabor a Cheetos en su saliva, mezclado con algún bastoncito de dulce de menta.

Taína retrocedió y se limpió los labios en mi hombro. Sus mejillas estaban sonrojadas, sus labios todavía relucientes. Apartó un mechón de cabello. Me preparé para el insulto.

—Cuando Peta Ponce venga —me dijo de buena manera—, quiero que estés ahí, ¿*okey*?

—*Okey*.

—Promételo.

—Sí.

—No, más vale que lo prometas.

—Sí, sí, lo prometo.

—*Okey*, bien.

Me sujetó la puerta.

—Eso fue *nice*. —me dijo—. Fue bien *nice*. Realmente brutal. Y gracias por el iPod. No veo la hora de que mami se duerma. La próxima vez me traes Twinkies, ¿*okey*? —Me regaló una diminuta sonrisa y me tiró un beso antes de cerrar la puerta de su habitación.

Verso 8

—**ESTABA DEAMBULANDO POR** Central Park —declaré y la dueña de la perrita vio al pequeño Ralphy dando gemidos—. Nuestro hermanito la adora, pero cuando nos enteramos de que estaba perdida, se la trajimos de vuelta.

Esta vez, la señora fue directamente a buscar la recompensa.

—Cómprale un perro igual a Ms. Dalloway —me dice, aunque esa era mi línea.

Ni siquiera esperó a que el pequeño Ralphy llorara en el brazo artificial de BD.

—Es un cavalier King Charles spaniel puro —dice; un nombre que suena caro—. Esto debe ser suficiente para conseguirle uno igualito. No tienen idea de lo feliz que me han hecho —confiesa, besando a su perrita, que me ladra en agradecimiento por haberla cuidado.

Salimos del edificio con portero a una manzana del museo Guggenheim. Esta recompensa era grande y ya yo había abierto una cuenta en el banco. Había buscado los papeles y, aun cuando me había dicho que no confiara en los bancos, mi madre firmó conmigo en el Banco Popular de la 106 y la Tercera Avenida. Ahora depositaba todos mis cheques de recompensa ahí. Le di su parte a BD, algo de dinero a Sal, algo a mamá, un poco a papá, escondí algo en la bota de mamá sin decirle nada y el resto se lo di a Doña Flores.

Le llevé chicles y Twinkies a Taína.

—Esto es malo para mí —me regañó—. ¿Quieres que me ponga gorda? No puedo creerlo. ¿No te importo un carajo?

Yo no sabía si estaba bromeando, porque ella estaba gorda, estaba embarazada. Pero me dio un beso en la mejilla y me alegré. Doña Flores estaba dormida en la habitación de Taína, así que, sin pedir permiso, puse mi mano sobre el vientre de Taína. Tocar su barriga era una sensación que yo sabía que no iba a durar. Era tan fugaz como la vida de las burbujas de jabón. Cuando el bebé llegara, esto también acabaría. Así que puse mi mano sobre su vientre para sentir patear a Usmaíl. De un manotazo, Taína me apartó la mano.

—Ok, estúpido, ¿qué pretendes, jugar a las manitas con el bebé? ¡Por Dios!

Entonces me tomó de la mano y me llevó al sofá. La televisión estaba encendida.

—Sóbame los pies. —No estaba seguro de haber oído bien—. Vamos, ¿qué esperas? Sóbame... los... pies.

Yo estaba paralizado de la felicidad. Taína giró su cuerpo hacia el borde y se recostó en el brazo del sofá, su vientre lunar estaba ahora de cara al techo. Puso los pies en mi regazo al otro lado del sofá. Tomé un pie en mi mano y estaba tibio. Despedía un ligero aroma a loción para el cuerpo mezclada con alcanfor. Yo deseaba besarle el pie.

—Yo no sé cómo hacer esto —confesé con timidez.

Pero los ojos de Taína estaban cerrados, y ella emitía un gemido entre placer y sueño. Se movía un poco. Mientras más le sobaba el pie, más se contraía, y su bata seguía subiendo por su cuerpo. Sentía mi ropa tan apretada que pensé que se iba a romper. Aproveché al máximo la situación para estudiar sus piernas desnudas.

—Quiero más libros, Julio —dijo, con los ojos todavía cerrados. Me alegró oír su voz porque ya no sabía dónde estaba en ese momento ni qué parte de Taína estaba mirando—. Me gustó el de los agricultores. Me gustó *Estrella*. Ese libro de Viramontes era bueno, los demás apestaban.

—Voy a traerte más —le prometí, chequeando si todavía tenía los ojos cerrados.

Estaba monitoreando su bata a ver si seguía subiendo por encima de las rodillas. Pronto reconocí el pequeño lunar marrón oscuro de su muslo que vi aquella primera noche.

—Más te vale. —Su cabello se desparramaba mientras la cabeza descansaba firmemente en el brazo del sofá—. Me encantaría viajar.

Con los ojos todavía cerrados, su mano encontró los labios y se pasó la muñeca por la boca para secarse la baba que se le escapaba.

—¿A dónde?

Apreté y presioné sus pies, sus talones, sus tobillos y sus pantorrillas. Sus rodillas desnudas chocaban lentamente.

—Lugares, quiero ver lugares. ¿Has estado en algún lugar?

—Solo en Puerto Rico y Ecuador.

—Me encantaría ir a Puerto Rico. Mami dice que es el paraíso. —Gimió y bostezó—. Odio estar sola. Quisiera que Usmaíl estuviera aquí ya para tener a alguien más. Me encantaría cantarle al bebé.

—Puedes cantar...

—Dije al bebé, no a ti, ¿*okey*?

—*Okey*, está bien —le dije.

Y no sé de dónde saqué el valor, pero una mano dejó su pie y siguió el diminuto lunar en su muslo. Froté mis dedos como si pudiera borrarlo. Era diminuto y azul. Entonces, ambas manos volvieron a sus pies. La bata de Taína finalmente había subido más allá de su vientre y su ropa interior. Estaba decorada con imágenes del demonio de Tasmania, de los personajes de Looney Tunes.

Taína debe haber sentido la ráfaga y abrió rápidamente los ojos, se bajó la bata y se enderezó un poco, aunque siguió acostada en el sofá como si estuviera tomando el sol, con sus pies sobre mi regazo. Se mojó los labios con la lengua y se movió. Tiene que haberse dado cuenta de que yo estaba mirando, pero no pareció importarle ni me dijo nada.

—Me duelen los muslos, Julio. —Tenía los ojos cerrados—. Sóbame los muslos.

El corazón me dio un vuelco.

Deslicé mis manos hacia los muslos de Taína suavemente y sabía que no iba a poder contenerme porque me sentía húmedo y caliente. Entonces, oí una voz que venía de la habitación de Taína.

—Peta Ponce, Peta Ponce, ayuda a mi nena —gemía Doña Flores.

Taína se despertó rápidamente y, lo mejor que pudo con su pesado cuerpo, apartó sus piernas de mí y volvió a sentarse. Yo también me enderecé y puse mis manos delante de mí. Desde la habitación de Taína, oímos a Doña Flores hablar dormida: "Peta Ponce, por favor, dime, dime qué pasó, Peta Ponce". Volvió a callar.

Nos quedamos en silencio por un momento.

Solo se oía el volumen bajo del televisor.

—Mi madre no puede enterarse de que estuviste aquí cuando ella estaba durmiendo.

Me acompañó hasta la puerta, pero, antes de echarme, Taína se paró en puntillas y me besó en los labios. Fue un beso lindo, lento, con muy poca lengua, pero un beso. Después cerró la puerta.

Yo me quedé ahí parado en el pasillo silencioso. Pero estaba bien. Todo estaba bien y recordé la nota que mi padre le envió a mamá: "Cuando te vi, comenzaron a crecer flores en mi mente".

MI MADRE ME acompañó y habló largo rato. El doctor la escuchó desahogarse. Entonces, le explicó a mi madre que por lo que yo estaba pasando no era nada nuevo. "Muchos jovencitos se enamoran de mujeres embarazadas", le dijo. "El regalo maravilloso de dar vida". Aseguró que había hombres a quienes solo les gustaba mirar a las mujeres embarazadas. Hombres que se excitaban con eso. El doctor hablaba sin parar y mi madre me dio un manotazo en el hombro y lo interrumpió:

—Dile al doctor —me pidió—, dile eso que piensas del átomo, díselo.

Repetí mi teoría del embarazo subatómico, con algunos giros nuevos. Cómo en la oscuridad del espacio interior cualquier cosa era posible.

—¿Sabes que todos los átomos con los que naciste ya se han ido? —preguntó el doctor—. ¿Que ahora estás totalmente compuesto por átomos nuevos?

Yo sabía eso y asentí con la cabeza.

—Entonces, ¿cómo un átomo puede comenzar una revolución cuando estamos perdiendo átomos todo el tiempo?

—Sí, eso toma tiempo, no ocurre de un día para otro, ¿quizás un año? —le dije—. Así que eso les da suficiente tiempo a los átomos rebeldes para plantar copias de ellos mismos en las nuevas células que crean.

—¿Sabes que eso es altamente improbable? —insistió el doctor.

—Entonces, si estamos compuestos por átomos y todos nuestros átomos originales son reemplazados por átomos nuevos —dije; el doctor se cruzó de brazos—, ¿cómo podemos seguir siendo nosotros cuando todo lo que éramos, toda nuestra materia original ha sido reemplazada?

El doctor frunció el ceño como si nunca hubiera pensado en eso, o quizás estaba aburrido. Volvió a sentarse en su silla. Miró a mi mamá.

—¿Él está tomando algún medicamento? ¿Cualquier

cosa? —Estaba tratando de mostrar interés por mí, pero yo sabía que estaba haciendo un *show* para mi mamá.

—No —contestó mamá.

El doctor se viró en la silla para mirarme de nuevo. Me miró a los ojos y luego se volvió hacia mi mamá. Le dijo que no había nada de qué preocuparse. Que no se trataba de una conducta psicótica. Yo no oía voces, no hablaba de hacerme daño ni a mí ni a otras personas y que yo solo me estaba aferrando a un capricho o algo así, y que él era un médico y no un físico cuántico. "Es algo muy hermoso", dijo, "cómo los jóvenes pueden ser tan inocentes de una manera muy adulta". Era una pena que perdiéramos eso cuando crecemos. "Es por eso", continuó, "que durante esta etapa de la pubertad las amistades que hacemos son los modelos que tratamos de seguir". Fue solo cuando mamá suspiró fuerte que decidió terminar su discurso.

El doctor me preguntó si quería que mi madre nos dejara solos. Le dije que no, así que fue directo al grano.

—¿Has usado drogas?

—No —le dije la verdad.

—¿Has fumado yerba?

—Sí, una vez.

Había olvidado que eso era droga, aunque nunca había visto que alguien se muriera de una sobredosis de mariguana. BD había encontrado una bolsita pequeña dentro de una lata de Coca-Cola al lado de la alcantarilla, así que nos la fumamos. Pero solo fue una vez e incluso puede que no la fumáramos bien, porque yo no sentí nada y solo tosí mucho.

—¡Ay, Jehová! —susurró mi madre para sí misma.

El doctor la ignoró porque pensó que tenía algo.

—Entonces, ¿has usado drogas?

—Supongo.

Me encogí de hombros, sin querer mirar a mi madre, quien ya estaba pensando en qué le diría a mi padre y, sobre todo, a sus ancianos del Salón del Reino.

—¿Consumes alcohol? ¿Bebes?

—No, pero...

—Entonces, ¿has probado el alcohol?

—No —le dije.

Finalmente, el doctor dejó de hacer preguntas y revisó en silencio mis respuestas, que había anotado. Entonces abrió una gaveta y sacó un vasito de papel con una caricatura de los Jetsons. No tenía que decirme nada, pero lo hizo.

—Necesito que orines en este vaso.

Le arrebaté el vaso y exhalé fuerte, como lo hace Taína cuando está aburrida o más que harta de las cosas.

Fuera de la consulta del médico, el pabellón psiquiátrico de Lincoln Hospital estaba pintado de rosa pálido, como si fuera una guardería. La sala de visitas del décimo piso tenía un ventanal por donde los pacientes podían disfrutar de una vista extraordinaria del horizonte de Nueva York. Muchos pacientes lo encontraban hermoso. Algunos acercaban sus sillas para sentarse frente al ventanal. O quizás el horizonte les recordaba su libertad perdida.

Llené el vasito en el baño y lo traje de vuelta. El doctor le repitió a mamá que no había de qué preocuparse y que mi muestra de orina le diría la verdad sobre si yo estaba usando drogas o no y, si lo estaba haciendo, qué clase de drogas usaba. Dependiendo de qué droga era, esa podría ser la causa de mis alucinaciones. Así fue que las llamó, alucinaciones. Y que si ella estaba tan preocupada, podía hacer una cita para que me viera un especialista. Con eso, mi madre se quedó contenta. ¿Yo? Yo estaba feliz de acabar con eso y sentía que me había librado fácilmente.

Verso 9

IBA DE CAMINO a tomar algunas fotos para Sal cuando vi a BD sentado en un banco del proyecto, cerca del buzón. La manga izquierda de la camisa Izod que yo le había comprado estaba colgando. BD lloraba a lágrima viva, con rabia y amargura. Se maldecía. Me estaba esperando.

—Ese hijo de puta se lo llevó. —Escupió en seco, tenía los ojos más mojados que su boca—. Se llevó también mi iPhone.

BD había estado dando vueltas por la escuela con ropa nueva, iPhone, iPad y iPod touch, y todos lo habían visto en el cine viendo los últimos estrenos, en Chipotle, en Shake Shack, y exhibiendo su chaqueta de cuero mientras contaba sus billetes de cien y se daba la gran vida como un rapero.

—Quiere una tajada, Julio.

Mario le había dado una paliza a BD porque él no le había dicho cuál era nuestra estafa.

—Ok, no te preocupes. Lo primero que tenemos que hacer es recuperar tu brazo.

Yo no tenía idea de cuánto costaban esas cosas, pero supongo que cuestan mucho dinero y la madre de BD lo mataría si volvía a casa sin su brazo.

—¿Cómo? —BD se secó las lágrimas de la cara, escupió un poco de flema y se aclaró la garganta—. Él quiere cien por el brazo.

—Bueno, vamos a recuperar tu brazo —le dije.

Mario vivía en Pleasant Avenue, en un buen edificio cerca de una iglesia. Si bien la gentrificación había domesticado a El Barrio, no podía reescribir su pasado. Pleasant Avenue es un trecho de seis manzanas que van desde la Calle 114 hasta la 120, justo al este de la Primera Avenida; un enclave italiano que aparece en la película *El Padrino*, en la escena en la que Sonny Corleone muele a palos a Carlo y lo deja ensangrentado junto a un hidrante. Los italianos y los puertorriqueños se han dado duro desde entonces.

Las cosas están mucho más tranquilas ahora, pero, de vez en cuando, aparece alguien como Mario Depuma y se enciende el resentimiento otra vez, porque el pasado es como una lata de aluminio: reciclable.

Llegamos a la casa de Mario y tocamos a la puerta.

El padre de Mario abrió. Estaba fumando un tabaco y movió la cabeza como diciendo "¿Qué quieren ustedes?". Era una versión más grande y fuerte de Mario, sus manos parecían cajones de leche. Podía asfixiarte con tres dedos. Los nudillos peludos sobresalían como los lechos de roca en Central Park.

—Sr. Depuma —le dije con nerviosismo—, a mi amigo le falta un brazo y su hijo se lo llevó.

El padre de Mario miró la manga vacía de BD.

Retiró el cigarro y se rio como Santa Claus.

—Solo queremos que nos devuelva el brazo, nada más.

—No entendíamos su risa, pero él no paraba de reír.

—Bueno, a ver si tengo esto claro —dijo, sin el acento italiano de las películas de Hollywood; solo una voz áspera y desagradable—. Tu amigo aquí se peleó con Mario y ¿no se pudo defender? —Seguía riéndose—. ¿Y Mario se llevó su brazo artificial?

BD no dijo nada. Yo tampoco.

—Ahora, ¿de quién es la culpa? —preguntó, volviendo a ponerse el tabaco en la boca.

A través de la puerta abierta, vi a una señora gorda planchando la ropa en la sala. En las paredes había fotos de sus hijos. Ahí estaba Mario cuando niño, vestido de marinerito persiguiendo patos en Central Park. No parecía que se convertiría en el abusador que era ahora. También había una cruz y fotografías de Brando, Sinatra y DiMaggio, así como instantáneas del Papa.

La señora gorda dejó de planchar por un momento y preguntó:

—¿Brazo? ¿Qué brazo? ¿El brazo de quién? ¿Qué pasó con el brazo?

Siguió planchando. El padre de Mario se volvió hacia ella y le explicó lo que había pasado.

La señora gruesa no se rio, siguió planchando y se encogió de hombros.

—Pues, devuélvele el brazo.

—No, no, espera. Les hice una pregunta a estos jovencitos —dijo el padre de Mario, volviendo a dirigirse a nosotros—, porque Mario es un hombre. Yo estoy orgu-

lloso de mi muchacho. Un verdadero hombre ese Mario
—dijo, mirándonos a BD y a mí—. Realmente todos somos
hombres aquí, ¿no es así? —Solo yo asentí con la cabeza,
porque BD había comenzado a perderse. Su humillación
aumentaba—. Aquí no hay mariquitas, ¿verdad? ¿Qué
gano yo? —Se puso el cigarro otra vez en la boca y se cruzó
de brazos.

—¿Qué quiere decir? —le pregunté.

—Si les devuelvo el brazo, ¿qué? —Echó una bocanada
y esperó a que dijéramos algo.

Escupió tabaco y volvió a llevarse el cigarro a la boca,
esta vez aguantándolo con los dientes, de lado.

—¿Saben quién era mi padre? —Yo no sabía. BD estaba
a punto de llorar—. Lo llamaban Vinnie el Carnicero. Era
el dueño de la carnicería que estaba en la 119 y Primera.
¿Saben que nunca vendió una chuleta de puerco? Las manchas rojas en su delantal nunca cambiaban, siempre eran
las mismas porque ese negocio era solo lo suyo, ya saben,
hacer dinero. —Soltó un montón de humo al aire—. Pero
llegaron ustedes y arruinaron lo que había sido un gran
vecindario. Nadie tenía que ponerle seguro a las puertas
en Pleasant Avenue antes de que ustedes llegaran. —Se
cruzó de brazos y movió la cabeza—. Mi padre no tenía que
vender una sola chuleta de puerco porque esa tienda era
solo lo suyo, pero cuando ustedes llegaron, sus estúpidas
madres entraban y pedían carne. Preguntaban por qué no
había carne. Preguntaban: "¿Se supone que esto es una carnicería y no hay carne?". Sus madres hicieron una montaña
de un grano de arena porque no había carne. Ustedes le

arruinaron el negocio. Ustedes arruinan las cosas y ¡ahora quieren que les devuelvan el brazo!

—Eso no es culpa nuestra, señor —le dije respetuosamente, pero solo se enfureció.

—¿Qué cosa no es tu culpa, marica? —Soltó una bocanada de humo.

—Lo que le pasó a su padre. —BD me tocó el brazo con el que le quedaba para decirme que deberíamos irnos—. Esas madres no sabían que el negocio de su padre era una pantalla, no entendían...

—¿Qué hay que entender? ¡No me gustan ustedes! —vociferó—. Eso es lo que hay que entender. ¿Ahora quieres tu brazo de vuelta? Mi hijo te quitó el brazo y, como maricas que son todos ustedes, en vez de agarrárselas con él, lo hacen conmigo. ¿Creen que porque soy el padre voy a ser débil? —gritó. La señora dejo de planchar y se acercó, pisando fuerte.

—¿De qué color es tu brazo? ¿Cómo es? —le preguntó a BD, un poco molesta por tener que interrumpir sus quehaceres.

—Es un brazo —susurró BD.

—¿De qué color? —preguntó de nuevo.

En silencio, BD sacó la mano y le mostró su piel morena. Ella exhaló incómoda, como si todo esto fuera una pérdida de tiempo, y se fue a revisar el cuarto de su hijo.

El padre de Mario estaba echando chispas, gritándonos en la puerta, acusando a todos los puertorriqueños de haber destruido su pasado.

—Antes de que ustedes llegaran, podíamos dejar abiertas nuestras ventanas de emergencia toda la noche, no había rejas antes de ustedes llegar. Ustedes roban. Si tiro una moneda en una fuente, ustedes la atrapan antes de que llegue al agua.

La señora regresó con el brazo de BD.

—Vete —dijo, como espantando moscas con las manos—. Váyanse, váyanse. Tengo una familia que atender.

Y regresó a planchar. El padre de Mario escupió más tabaco y volvió a llevarse el cigarro a la boca antes de cerrar de un portazo.

Mario había escrito "Maricón" en grandes letras negras en el brazo de BD.

—Puedes taparlo con la manga de la camisa —le dije a BD; él no respondió—. Nadie lo verá, BD, la manga lo cubrirá. Podemos probar con quitapintura, ¿ok?

EN LA ESCUELA, hacía todo lo posible por no cruzarme con Mario. Siempre que hubiera gente alrededor, yo estaba bien. Me reuní con el viejo Sr. Gordon, el consejero académico, para hablar sobre las solicitudes para entrar a las universidades y todos los paquetes de ayuda económica. Aparte de Princeton, yo no sabía realmente a qué universidades solicitar porque yo no sabía realmente qué quería estudiar. Así que, igual que la gente que compra un vino porque le gusta la etiqueta, le pregunté por las universidades que sonaban chévere. Le dije Pepperdine porque sonaba como un personaje de Charlie Brown. El Sr. Gordon se rió. Negó con la cabeza y me dijo que nunca lograría entrar. *Okey*, ¿qué tal

Duke? Nones, nunca podrás. ¿Vanderbilt está bien? Nop, nunca entrarías. ¿Bowdoin? No, nunca. ¿Pomona? No, nunca. ¿Swarthmore? No, nunca. ¿Yale? Suena como cárcel en inglés: "jail". De ninguna manera, dijo, jamás entraría. ¿Cornell? No. ¿Dartmouth? Qué nombre tan gracioso. No. ¿Princeton? Jamás, ni en un millón de años. Cuando dije Harvard, me detuvo y me dio una larga lista. Me dijo que buscara en Internet la página de admisiones de esos institutos y que me iría bien.

Poco después, iba caminando por el pasillo, tratando de evitar a Mario a toda costa y leyendo la lista de institutos cuando la Srta. Cahill me vio y me preguntó qué estaba leyendo tan concentrado.

—¿Eso es todo? —frunció el ceño—. ¿Solo *Community Colleges*?

—El Sr. Gordon me dijo que, aun cuando pudiera entrar a una universidad privada, estaría endeudado toda la vida.

Eso no me pareció bien, pero me enseñaron a respetar a mis mayores en público y barrer el piso con ellos a sus espaldas, así que me quedé callado cuando me dijo eso.

La Srta. Cahill se sopló un mechón de cabello rebelde y me llevó a su salón de clases vacío. Cerró la puerta y me pidió que me sentara al lado de su escritorio.

—¿A dónde te gustaría solicitar? —me preguntó.

—Princeton —dije, porque yo sabía que Einstein había enseñado allí—, pero no sé si quiero estudiar ciencias. Me gusta, pero no lo sé. Además, podría vivir en casa y ahorrar gastos. ¿Usted puede ayudarme, Srta. Cahill?

—Excelente idea y excelente elección —me dijo, y entonces bajó la voz, aunque solo estábamos ella y yo en ese salón de clases—. Hay algunos maestros —dijo esto con cuidado, pero yo sabía a quién se refería— que vienen de otra época. Han estado enseñando aquí desde la década de 1900 y así mismo piensan. Mira, yo leí tu ensayo para la universidad, Julio. —Palpó una montaña de papeles sobre su escritorio y lo encontró—. Es excelente, eso es lo que buscan las universidades, Julio. Gente que ayude a los demás. Y escribiste con una estructura gramaticalmente correcta, creativa y concisa. ¿En serio te hiciste amigo de este exconvicto, de verdad?

—Sí, pero el ensayo no está terminado.

—Bueno, por favor, termínalo y me lo muestras antes de enviar toda tu información. Escucha, Julio, tus calificaciones y tus puntuaciones de AP también son buenas. No son excelentes, pero son buenas...

Su iPhone sobre el escritorio comenzó a vibrar. La pantalla mostraba la foto de un policía, pero tenía la camisa abierta y mostraba el pecho desnudo. La Srta. Cahill contestó rápidamente y le pidió al hombre que la llamara más tarde.

—Sí, *okey* —le dije—, pero tampoco quiero endeudarme.

—Oye, yo sé que las becas no están fáciles. Yo misma no obtuve una. Pero lo que te puedo decir... —Pensó por un momento cómo decirlo. Creo que estaba tratando de buscar algo específico en mi vida para usarlo como punto de partida—. Tú vas a la iglesia, ¿estoy en lo cierto?

—Iba. Pero sí, claro.

—*Okey*, me imagino que has oído... creo que está en la Biblia... que dice que si no trabajas, no comes. ¿Es así?

—Es Pablo —le dije—. Mi padre, que es comunista, me dijo que Lenin también lo usaba. Extraño, ¿no, Srta. Cahill?

—No, no creas. El cristianismo y el comunismo no son tan diferentes.

Justo cuando iba a continuar, su iPhone volvió a sonar. En la pantalla apareció la foto de otro policía, solo que este no tenía camisa ni nada. Estaba completamente desnudo, con el pájaro libre, y solo su gorra de policía. La Srta. Cahill lo apagó antes de que yo pudiera verlo, y yo fingí no haberlo visto.

—Lo que quiero decirte es que hay personas que nacen con plata y nunca tienen que trabajar. Otras personas heredan la plata, se les muere un tío o los padres y les dejan dinero. Hay otros que se ganan la plata en la lotería o en algún sorteo. La parte más triste y falsa de esa frase, Julio, es que hay gente que trabaja muy duro bajo el sol, trabajadores migrantes que recogen fresas o lechuga, y reciben muy poco o nada de dinero.

—Entiendo su punto —le dije. Yo quería preguntarle por Taína, de cuando ella cantó, pero la dejé terminar.

—Excelente, Julio, porque lo que nadie puede heredar, ganar, encontrar o trabajar para obtener es... más... tiempo. El tiempo es el verdadero oro, no el dinero. El tiempo es oro. Así que, si quieres solicitar a Princeton, yo te ayudaré. Tienes chance. Con o sin deuda, habrás usado bien tu tiempo para alcanzar lo que deseas y eso es grandioso.

Me sostuvo la mirada por un momento. No le dije que sabía que el viejo Sr. Gordon hablaba mucha mierda.

—Srta. Cahill —le dije—. ¿Puedo preguntarle algo que no tiene nada que ver con esto?

—Eh, eh, eh, claro —contestó, nerviosa, porque sabía que le gustaba a todos los muchachos.

Creo que ella sabía que era preciosa y eso puede ser aterrador, supongo. Taína no sabe que es preciosa.

—¿Se acuerda de Taína?

—¿Taína? ¿Taína? Ah, esa muchacha. Qué triste. —Su tono cambió, parecía que estuviera hablando de un cachorrito herido—. Tan triste.

—Ella cantó una vez en el salón de música. Usted estaba allí, ¿verdad?

Sonrió y asintió con la cabeza.

—Me contaron que usted dijo que todos podían ver a quién amaban y quién los amaba. ¿Eso es cierto?

Enfocó los ojos en otra parte y lo pensó un momento. Arrugó las cejas, abrió un poco la boca y dijo:

—Ah, sí, recuerdo haberla oído cantar. Una voz bellísima, realmente bella.

—Pero, ¿es verdad que podía ver a las personas que la amaban?

—¿Estás hablando en serio?

—Sí, yo oí decir que eso fue lo que usted dijo.

—Bueno, quizás lo dije en ese momento, pero lo que sí recuerdo... —Hizo una pausa buscando en su memoria—. Lo que llamaba la atención fue cómo Mario, ¿tú conoces a Mario? Todos saben quién es Mario. Él estaba tan fascinado con su forma de cantar que se quedó embobado en la silla.

—¡¿Mario?!

—Era gracioso ver cómo este tipo rudo se conmovió. Estaba derretido.

—¡¿Mario?!

—Sí, Mario. Antes de que ella dejara de asistir a la escuela, yo pensé que eran pareja porque, cuando los veía, nunca estaban lejos uno del otro. Así son los muchachos y el amor. Yo no tiro piedras. Yo amo el amor. —Sonrió—. Qué lindo es el amor.

—¿Mario?

—¿Sí?

—¡Hay que joderse!

Verso 10

PARA ALEJAR ALGUNAS cosas de mi mente, me fui a tomar fotografías. Llegué al parque infantil del Capeman. Estaba bañado por los rayos del sol y lleno de color. Había un letrero azul pintado en la cancha de handball que decía: "If You Gentrify, They Will Come"; o sea, gentrifica y vendrán. En los tiempos de Salvador, esta parte de la ciudad era conocida como Hell's Kitchen, la cocina del infierno. Estaba llena de cafeterías grasientas, prostitutas, chulos, estafadores, drogadictos, así como también de gente muy trabajadora y sus familias, que iban a lo suyo y vivían en apartamentos económicos. El parque infantil estaba remodelado, rodeado de una verja de alambre blanca, nueva y brillante. Nuevos bancos de madera enmarcaban ambos lados del parque. Justo en medio, como una isla, había un cobertizo pintado de colores brillantes donde los cuidadores guardaban sus escobas y productos de limpieza. Había una caja de arena y una chorrera larga y plateada, junto a una hilera de columpios de metal. Fue aquí, en los columpios, donde los dos muchachos y sus amigos charlaban inocentemente antes de que The Capeman y sus Vampires llegaran. Caminé un poco más y fotografié el precinto 16 en la 47 Oeste, donde el "Hombre de la capa" había sido fichado. Le compré una cámara a Sal como regalo y estaba tomando fotos de día para que él pudiera ver estos lugares a la luz del sol. Planeaba darle la cámara y las fotos pensando que, quizás algún día, él querría salir de día y tomar fotos.

Cuando volví a casa, encendí la *laptop* y busqué en Internet hasta los suspiros de Sal. Todo lo que pude encontrar. Toda su vida como The Capeman y un poco después. Me senté en la cama y leí, investigué y tomé notas para mi ensayo de admisión a la universidad:

Salvador Negrón tenía 16 años cuando fue juzgado como adulto durante el último año del du duá, en la década de 1950. Fue la persona más joven en ser sentenciada a la silla eléctrica. Durante dos años, la muerte durmió y se despertó a su lado, comió con él, respiró con él y se burló de él, hasta aquel fatídico día. Para su última cena, pidió comida puertorriqueña: pernil, arroz con gandules, flan y un vaso grande de maví. Pero todo lo que recibió fue pollo frito, puré de papa, guisantes, pan con ajo y pastel de manzana. Comió con tristeza su última cena, pero estaba contento porque podría ver el cielo en un par de horas. Después, cuando lo llamaron por su nombre y su número "¡A la reja!", se desmayó. Cuando abrió los ojos, no estaba en el cielo, ni amarrado a una silla, sino de regreso en su celda, cortesía de un perdón de último minuto concedido por Nelson Rockefeller, quien estaba ese año detrás del voto de los puertorriqueños".

Dejé de leer. Solo podía pensar en ese primer día cuando lo conocí. De cómo me recordó a un viejo Jesucristo abatido, cuyos discípulos lo habían abandonado hacía ya mucho tiempo.

Verso 11

TAÍNA ABRIÓ LA puerta. Se llevó un dedo a los labios.

—Mami está dormida otra vez en mi cuarto —susurró—. No hagas ruido, tonto.

Y yo entré en puntillas, furioso. Podía escuchar que Doña Flores hablaba dormida porque roncaba un cuento de fantasmas. Nos sentamos en el sofá. Sentí la efusividad de Taína tan encendida como mi ira. Ella llevaba la misma bata transparente, pero esta vez no se había puesto encima una camiseta... y llegaron los colores. Vi círculos rojos haciendo círculos dentro de círculos azules dentro de círculos blancos, y mi corazón latía al ritmo de esos círculos.

—Es de salchicha, setas y pimientos. Ojalá te guste —dije, intentando no mirar—. No estaba seguro de qué la querías, así que escogí esta. Si no te gusta, lo siento.

Pero me delaté y Taína se dio cuenta de que le estaba mirando los senos, así que cruzó los brazos.

—Ah, y te traje chicle.

Me rendí. Traté de ser amable, aunque todavía estaba enojado.

Taína había armado un escándalo porque quería chicle, pero no le hizo caso. En cambio, fue por la pizza. Se sentó en el sofá.

—Esta pizza está malísima —dijo, pero siguió comiendo—. Qué pizza tan horrible. —Fue a buscar otro pedazo—. Terrible, ¿de dónde sacaste esta mierda de pizza? Debería morirme de hambre antes de comer esta porquería.

Yo fingía estar mirando la televisión, una película de Pixar con el volumen bajo. Deseaba besarla como lo había hecho antes. Continuar donde lo habíamos dejado. Pero el fantasma de Mario flotaba en la habitación.

—La próxima vez me traes Coca-Cola. ¿A quién se le ocurre traer una pizza sin nada para tomar? —Me ordenó que fuera a la cocina a buscarle algo de beber. Lo dijo muy alto, aun cuando me había dicho cuando entré que hablara bajo—. Y no quiero jugo de china —gritó desde la sala.

Doña Flores dormía como un tronco.

Pero no había nada de tomar en su refrigerador prácticamente vacío, excepto jugo de naranja y leche.

Cuando le traje un vaso de leche, hizo una mueca.

—¿Eres retardado?

—Eso es lo que hay —le dije—, y me dijiste que no querías jugo de china.

—Entonces, tráeme agua, bendito. ¿Puedes hacer eso?

Así que le llevé agua.

—¡Al fin! —dijo, tomando un sorbo.

Yo tenía hambre, pero no comí nada y la dejé que comiera todos los pedazos que quisiera. Yo disfrutaba viéndola comer. Me gustaba la manera en que brillaban sus labios con la grasa de la pizza y cómo sus sienes subían y bajaban al masticar. Podía entender por qué cualquier muchacho se enamoraría de ella.

Cuando mi madre tenía algo que decirnos a mí o a mi padre de lo que no quería hablar, ella simplemente lo decía. Se lanzaba y lo dejaba salir, sin pensar, como quien se lanza al agua fría. Directo al grano.

—Mario.

"Si mantengo la calma y no me enojo y me concentro, no gritaré", pensaba.

—¿Qué Mario? ¿Mario qué? —Taína se encogió de hombros.

—Mario, de la escuela. Estoy seguro de que lo conoces.

—¿Quién?

—Mario, el tipo italiano grande, con músculos y esa mierda.

—Ah, ¿ese muchacho?

—Sí, ese muchacho.

—Él era *nice*.

—¿Qué?

—No, él era uno de los pocos que nunca me dijo nada malo. Me dejaba cannoli en mi pupitre. Hablo en serio.

Debe haber visto la ira en mis fosas nasales o haber oído mi corazón palpitando como una conga. Sonrió y levantó la cabeza como si supiera ya de qué se trataba todo esto. Por qué estaba enojado con ella.

—Ya sé qué bicho te picó. —Sacudió la cabeza—. Todos los hombres son iguales.

—Me voy —dije.

—Tú te lo pierdes —dijo en voz alta—. Porque nada pasó.

No me fui, pero no podía mirarla. Le di la espalda. La puerta de su habitación frente a mí estaba abierta de par en par. Doña Flores estaba tiesa. Si no hubiera hecho ruidos o hablado dormida, pensaría que estaba muerta. Su cuerpo estaba tendido boca arriba. Tenía las manos cruzadas sobre el pecho y llevaba un bonito vestido azul como si acabara de llegar de una fiesta o estuviera en su lecho fúnebre.

Taína se volteó. Nos quedamos frente a frente. Ella vio mi descontento. Por primera vez, parecía más nerviosa que yo. Por un segundo, jugó con un mechón de cabello antes de acomodarlo detrás de su adorable oreja izquierda. Se humedeció los labios con la lengua y me empujó suavemente para sentarme en el sofá. Entonces, sentó su cuerpo preñado a mi lado.

—¿Tú sabes que tu madre dejó a mi madre plantada?

—Sí, lo sé.

—No diré que tu madre es una perra nada más porque te conozco. Así que ya sabes, después que su mejor amiga la dejó y esa mierda, mi madre conoció a este hombre por su trabajo en el centro, pero ese sinvergüenza bueno para nada que era mi padre era uno de esos latinos que odian a los demás latinos. —Su tono era tranquilo, pero todavía conservaba el timbre.

—Eso oí —le dije—. Tu tío Sal me lo contó. Pero, ¿qué tiene que ver todo eso con Mario?

Taína hizo una pausa. Sus ojos furiosos me advirtieron que no volviera a interrumpirla.

—Si me dejas hablar, te explico. ¡Dios mío! Mami estaba embarazada de mí y todo lo que oía de él era cómo los latinos se odian unos a otros. Culpaba a todos los latinos por haber crecido en el Sur del Bronx, por el trabajo de mierda de su padre en la factoría, por los cheques de mierda del Seguro Social para su madre; culpaba a los latinos por el lugar donde vivía con mami, por esta mierda de proyecto de vivienda pública, por cualquier mierda culpaba a los latinos. Particularmente a los puertorriqueños, aun cuando él era uno de ellos, los odiaba más que a nada. Decía que él había vivido en este jodío país desde antes de llegar otros latinos y que no habíamos hecho nada. Los mexicanos se quedaron con California y los cubanos son dueños de Miami, e incluso los jodíos coreanos han acaparado los puestos del mercado de vegetales, pero los puertorriqueños no han hecho un carajo. Él trabajaba en un banco del centro de la ciudad, según me contó mami. Ahí fue donde se conocieron. Ella iba a cambiar sus cheques de recepcionista allí. Él era un buen cajero. Por lo que mami me cuenta, era excelente con los números. Yo odio los números, así que me alegra no haber heredado nada de él. Pero le encantaba trabajar con la gente blanca en ese banco del centro. Asistía también a una escuela nocturna para tratar de progresar, me dijo mami; pero, un día, cuando le tocaba que le dieran un ascenso, le pasaron por encima y se lo dieron a un negro. —Hizo una pausa un momento y vio lo enojado que yo estaba—. ¡Dios! Es difícil contarte eso cuando por tu cara parecería que acabo de matar a tu madre, ¡por favor!

Hice todo lo posible por respirar en silencio.

—Está bien, cuéntame.

—Mi padre bueno para nada estaba bien con que le dieran el ascenso al negro, hasta que se enteró de que el gerente del banco, que hablaba muy bien el inglés y había ido a la universidad, no era un jodío blanco, sino dominicano. Un jodío dominicano blanquito a cargo de todos en ese banco. El negro no era mejor que él en su trabajo, pero decía que el jodío dominicano blanco lo tenía anulado. Los latinos nos tiramos anclas al agua unos a otros para ahogarnos. Lo botaron y nunca más volvió a casa. Ese canalla dejó a mi madre conmigo todavía en el horno. Eso es lo que me cuenta mami. Yo nunca lo vi, nunca conocí a ese arrastrado. Espero que esté muerto. Ojalá...

—Mario —insistí—. ¿Acaso él?

—'Pérate, estoy tratando de explicar esta mierda. Todo lo que sé es lo que mami me contó sobre él. Así que, cuando tenía alrededor de doce años y sabía que los muchachos me miraban el trasero, tú sabes; cuando supe eso, me alejé de los tipos latinos. Así que, cuando de pronto le gusté a un italiano, tú sabes, me traía *cannoli*; pensé, *okey*, este no es latino, eso está bien.

No le mencioné que los italianos eran latinos porque entendí por dónde iba la cosa. Su padre era desagradable y había crecido en el Sur del Bronx en una época en la cual los solares vacíos proliferaban como jardines tóxicos. Creció rodeado de muchachos de la calle, quienes, si eran atrapados robando, mentían; si los golpeaban, maldecían; si los enviaban a prisión, iban dando patadas y gritos y culpando al mundo que los odiaba. Solo podía pensar que el padre de Taína se había esforzado por evitar ser igual que ellos. Si bien no había terminado muerto o en prisión, ya estaba infectado. Era portador del germen del gueto.

Así que, ¿por qué iba a culpar a Taína? Ella se estaba defendiendo de la mejor forma que conocía de la misma brutalidad que yo trataba de esquivar. Aunque esto no significa que me gustara la idea.

—Antes de que mami me sacara de la escuela, recuerdo que me sentaba sola en un banco del patio de la escuela porque nadie quería sentarse a mi lado, ni siquiera tú...

—Yo te tenía miedo —susurré—, eras tan linda.

—¿Qué? Habla alto, tonto. ¿Que yo era qué?

—Nada —dije, pero creo que me había oído.

—Bien. —Estudió mi cara por un momento y continuó—: Él se acercó y se sentó al lado mío. No te mentiré, me gustó que se sentara a mi lado.

—¡Ay, por Dios! —Casi vomito.

—No, en serio. Sentí que él quería hablar conmigo. Ser amable conmigo. Solo que no sabía cómo carajo hacerlo. Tú sabes, esta costumbre que no puedo evitar de ser tan malhablada. Y, entonces, vio a sus panas saliendo de la escuela. Yo sé cómo ustedes los muchachos actúan cuando aparecen sus compinches. Es como si tuvieran que montar un *show* porque si...

—Qué pasó.

—Vete a la mierda. Bien. No pasó nada. No dijo una jodía palabra, me dejó un *cannolo* en el banco y se fue con sus amigotes a encender un cigarrillo, como si yo no existiera. Desde ese día, siempre dejaba cannoli para mí.

—¿Siempre?

—Sí. Él sabía dónde me sentaba y mi horario de clases, así que me dejaba cannoli frescos en una bolsa de plástico dentro de mi pupitre.

—¿Y tú qué hacías?

—Pues, me los comía, ¿qué crees? Esos jodíos cannoli son ricos.

Taína se acomodó muy cerca de mí y me agarró las manos.

—¿Estamos bien? —me preguntó.

Yo permanecí callado porque parte de mí no podía culpar a Mario. Taína era encantadora. Pero otra parte deseaba vengarse de él y no sabía cómo hacerlo.

—¿Estamos bien o qué, puñeta?

Asentí con la cabeza. Ya no estaba enojado, nunca podría permanecer enojado con Taína.

—Quiero mostrarte algo —susurró; raras veces susurraba—. Me encanta mi iPod. Pero solo lo escucho de noche —dijo, y nos levantamos del sofá. Yo la ayudé a levantar su cuerpo preñado. Ella me guio a la puerta del clóset de la sala.

—Nunca le digas a mi madre o te mato.

Abrió la puerta del clóset. Las tablillas y el piso estaban atestados de instrumentos musicales para niños. Había una maraca de bebé, una trompeta de bebé, pequeños bongós y un tambor, un ukelele, un pianito y un pequeño teclado cuyas baterías hacía tiempo estaban agotadas.

—¿Tú tocas todo eso? —le pregunté, pero no me contestó.

Había premios musicales y certificados de la Escuela Pública 72 que Taína había ganado, y montones de fotografías de ella cantando de niña. Yo elegí una. Una Taína de siete años con mahones y una camiseta de Winnie the Pooh, parada frente a un micrófono más grande que toda su cara.

—Dame eso —me la arrebató de las manos.

—¿Puedo verla?

—No —dijo, poniéndose a la defensiva—. Mi madre nunca me compró juguetes. El poco dinero que tenía lo gastaba en instrumentos, carajo.

—¿Sabes tocarlos?

—Sí, sé tocarlos, por el amor de Dios —respondió, señalando a la tablilla superior.

—Baja esos —me ordenó, porque ella no llegaba tan alto.

La tablilla superior estaba cargada de pilas y pilas de discos de 78, 33 y 45, *Señor 007*, de Ray Barreto; *Cosa Nuestra* y *Lo Mato,* de Willie Colón; *Homenaje a los Santos* y *Azúcar* de Celia Cruz; *Fiesta Boricua*, del sonero mayor, Ismael Rivera; discos de El Gran Combo y de Rubén Blades y álbumes más viejos de estrellas como Los Panchos, Xavier Cugat, Israel Fajardo, Tito Puente, Miguelito Valdés, Ramón "El jamón" Ortiz, Machito, La Lupe, Iris Chacón; el galardonado álbum de César y Nestor Castillo: *The Mambo Kings Play Songs of Love.* Esforzándose un poco, porque estaba en el fondo de una pesada pila que yo había bajado, Taína me mostró el álbum poco conocido de Héctor Lavoe: *La Plancha.*

—Esa es tu mamá, ¿verdad?

Sostuve en mis manos un viejo LP, un 33. Esta absurda-mente hermosa rubia oxigenada adolescente, con lentes de contacto de color violeta y piel aceitunada, yacía sonriente sobre una tabla de planchar en brasier y pantis minúsculos. Detrás de ella, Héctor Lavoe y la banda estaban a punto de dejarla sin arrugas con las planchas al rojo vivo que sostenían en sus manos.

—Es hermosa.

—Hermosamente falsa —respondí.

—Todas las chicas somos falsas. Usamos maquillaje, tacones altos y toda esa mierda.

Oímos que Doña Flores se movía. Hablaba consigo misma o con las paredes sobre Peta Ponce, haciéndole preguntas.

Taína me quitó el disco de las manos. Pusimos todo de vuelta tan rápido como pudimos y cerramos el clóset.

Me acompañó a la puerta.

—Peta Ponce... Vas a estar ahí, ¿verdad?

—Claro —le dije y, por un momento, pensé que me iba a besar como la última vez.

Me moví y puse mi rostro frente al de ella.

—No olvides traer refrescos la próxima vez. ¿Quién carajo se come una pizza sin refresco? —dijo y cerró la puerta.

No fue una buena noche. Taína le había dado una oportunidad a Mario, hasta era posible que le gustara. Y no me besó al despedirse. Pensé en lo crueles que pueden ser los dioses. Aquí tienes la vida eterna, pero no la eterna juventud. Aquí tienes el poder de predecir el futuro, pero nadie te creerá. Aquí tienes una foto de una chica sexy en brasier y pantis y resulta que es tu madre. Y Taína no me besó.

Verso 12

—CREO QUE TU madre está enojada conmigo y quiero pre-pararle una cena especial —me dijo mi padre.

Me pidió cien dólares prestados. Pensé que era una gran idea.

—Ese seco de chivo que preparó la otra noche no estuvo nada mal, Pa.

Yo lo probé y me gustó, pero mamá no le dio ni un mordisco y para mostrar lo asqueada que estaba, salió y regresó con un Big Mac.

—Quiero comprarle flores, preparar un pernil para ella, una botella de Chivas; a tu madre le gusta el Chivas; un disco del ayer, no sé cuál todavía; y un par de zapatos también.

—¿Sabe el número?

—No, pero me llevo un zapato a la tienda.

A medida que hablaba, me di cuenta de que no estaba haciendo esto porque quisiera pedir disculpas ni nada, sino porque iba a ser el cumpleaños de mamá. Como todos los testigos de Jehová, mi madre no celebra los cumpleaños. Ni el de ella, ni el de mi padre, ni el de nadie, ni siquiera el mío. Pero eso nunca detuvo a mi padre para hacer una pequeña celebración para ella o para mí de todos modos. Cuando él tenía trabajo y era mi cumpleaños, me llevaba al cine o a las gradas del Yankee Stadium. Para mamá, en cambio, envolvía regalos a propósito, porque no se suponía que una mamá testigo de Jehová recibiera regalos ese día. Pero él los envolvía sabiendo que la curiosidad de mamá se impondría. Ella siempre protesta y le pide perdón a su Dios, pero al final se rinde y acepta los regalos.

—Incluso le serviré la comida —agregó, porque él siempre cocinaba, pero mamá servía la comida, según el arreglo ese raro que tenían entre ellos.

—Sí, claro, Pa, tengo cien dólares para usted.

Yo acababa de devolver otro perro y estaba nadando en abundancia; aunque la mayor parte de ese dinero era para Doña Flores porque Salvador me había dicho que Peta Ponce llegaría muy pronto de Puerto Rico. Taína quería que yo estuviera presente y, sin importar lo que pasara, ni ángeles ni demonios iban a evitar que yo estuviera cerca de Taína cuando la espiritista llegara a su casa.

—Sabes que estoy orgulloso de ti.

Mi padre me apretó el hombro y me hizo sentir feliz. No tenía nada que ver con dinero, sino con el hecho de que él fuera capaz de preguntarme sin sentir vergüenza alguna. Hubiera querido que mamá hubiera sido así, aunque fuera un poquito. Pero ella era hermética. Prefería ocultar las cosas con indignación o sarcasmo.

—Encontraré trabajo y te lo devolveré.

—Sabe, Pa, —le dije, porque él era mi papá y yo le debía mucho más que dinero—, usted tiene un trabajo: cocina, limpia y siempre saca a pasear a mis perros, les da comida y esas cosas.

—No, no, no —dijo con firmeza—. A mí me gusta pasear a tus perros. Cocino y limpio solo para mantener la conciencia tranquila hasta que consiga un trabajo.

Él siempre había padecido de desempleo crónico. Tan pronto conseguía un empleo, lo perdía. Siempre echándole la culpa a la autoridad. Siempre diciendo que las cosas eran mejores en su Ecuador y que el marxismo era la respuesta. Bla-bla-bla, igual que mamá con su Jehová. Él responsabilizaba al sistema capitalista y pronto era despedido. Creo que ese era otro de los motivos por los que mamá se enojaba tanto. Se sentía presionada. Yo no le reprochaba a papá, solo trataba de entender a mamá. Toda la responsabilidad recaía sobre ella.

—Pa —le dije, tocándole el hombro, cosa que yo rara vez hacía—, usted sabe que mami lo hizo, ¿verdad? —le pregunté en español porque, junto con el toque en el hombro, significaba que quería hablarle de algo importante.

—¿Que hizo qué? —preguntó con naturalidad, como si yo le estuviera pidiendo que comprara pasta de dientes.

—Mami lo hizo, ¿usted sabe?

Traté de sostenerle la mirada, pero él estaba más interesado en pasar la aspiradora en un rato.

—No. Dime, ¿hacer qué? Dime. —Estaba más perdido que Cristóbal Colón.

—La operación —le dije, y esa palabra hizo que se paralizara y enmudeciera—. Solo dígame —le dije en voz baja y respetuosa— lo que sea que quiera decirme, Pa. Está bien. Y si no quiere decirme nada, también está bien.

Se aclaró la garganta, arrastró los pies como un boxeador, se llevó las manos a los bolsillos y las volvió a sacar, se humedeció los labios con la lengua. No sabía por dónde empezar.

—No pienses que no te quiero —dijo y volvió a aclararse la garganta.

—Yo lo sé, Pa.

—No pienses que no amo a tu madre.

—Lo sé.

—Yo no sabía el idioma. No sabía nada. Llevaba aquí menos de un año cuando pasó. —Sacudió la cabeza como si todavía no pudiera creerlo—. Los médicos hablaron conmigo. Me dijeron que era lo mejor. Yo no hubiera accedido, pero yo no entendía. Yo era nuevo aquí.

—Yo no lo creo, Pa. Mamá sabe inglés. Ella tiene que haber sabido lo que ellos querían.

—No culpes a tu madre. Ella acababa de traerte al mundo. —Nunca había visto a mi padre tan cerca del llanto—. Ella viene de una cultura donde eso no es nada. Muchas lo hacen. Tantas habían sido obligadas a hacerlo en el pasado, que se había convertido en una cosa sin importancia. Yo solo sé que ella nunca me culpó de nada y yo no la culparé a ella tampoco.

—Ok. Eso me basta —le dije.

—Yo solo te recuerdo a ti. Llorabas tan fuerte. Y después te cargué. Tu madre no me dijo nada hasta más tarde. Ella lloró mucho y se acercó más a su Dios. Y yo la dejé porque si estaba bien lo que necesitaba para no sentirse culpable, pues estaba bien —dijo más sereno, aunque todavía necesitaba aclarar la garganta.

—¿Y qué hay de Peta Ponce?

—Basta, basta —dijo, cansado—. ¿Esa loca? ¿Nosotros no somos hombres, Julio? —preguntó como si se supusiera que los hombres no hablaran de estas cosas—. Hombres, somos hombres, ¿verdad, hijo?

Mi padre era de una época diferente, de un país diferente, de filosofía comunista. Como él no culpaba a mi madre y ella no lo culpaba a él, yo no podía culpar a mi padre por su manera de pensar ni tratar de cambiarlo; aunque una vez me dijo que los hombres nunca deben escapar de nada, porque de lo que sea que tratas de escapar, un día volverá más fuerte que tú y armado hasta los dientes. Y ahora él no seguía su propio consejo. Pero ya había dicho basta y no tenía sentido hacerlo enojar. Si se presentaba otro momento para hablar, pues bien, y si no, pues bien también. Al menos lo habíamos hablado. Ya no se admitían secretos en nuestra familia.

—Sip, Pa, somos hombres —le dije, porque eso era lo que él quería oír.

Le di otro abrazo. Se metió en el bolsillo el dinero que yo le había dado y fue rápidamente a pasar la aspiradora por la sala.

LE DI LA cámara a Salvador. La sostuvo en sus manos como si pensara en venderla, pero, cuando le dije lo que había en el sobre, casi me lo arrebata.

—¿A plena luz del día? —preguntó, sin esperar la respuesta. Sacó rápidamente las fotografías del sobre. Comenzó a estudiarlas como si buscara a Waldo. Su boca estaba entreabierta y en ningún momento sonrió. Parecía más impresionado por la luz del sol. Fui a verlo bastante temprano, a eso de las ocho y media, porque quería que viniera a caminar conmigo. Quizás hasta podríamos convencer a su hermana y a Taína de salir tan temprano en la noche a dar un paseo.

—Sabe, podemos hablar por el East River —sugerí—. Es un sitio agradable.

—Mano, me gustaría tener una lupa —comentó para sí mismo y siguió escudriñando las fotografías.

Entrecerró los ojos, que parecían una colonia de insectos en formación inclinada.

—Podemos ir a comprar una. Apuesto a que en Duane Reade tienen.

—¿Qué?

—Podemos comprar una. Vamos a buscar a Taína y a su madre y compramos una, Sal.

—No. —Levantó la fotografía del parque infantil hacia la luz—. No, necesito mirar esto ahora mismo.

Lo dejé solo y me recosté en el antiguo piano.

Miré el disfraz de vejigante colgado al lado de la puerta del clóset, con sus colores brillantes dominando todo en el diminuto apartamento. Le pregunté si lo usaría esa noche, pero estaba absorto. Yo no existía. Musitó algunas palabras para sí y asintió con la cabeza. Estaba contento, me parece, pero en una forma que yo no podía descifrar. Cuando sostuvo en su mano la fotografía del parque infantil, dio un paso atrás. Se quedó mirando la pared y otra vez la foto, y luego me miró.

—¿Estás seguro de que este es el mismo lugar? No se parece.

—Es el mismo lugar, Sal.

—Caramba, nunca lo había visto así. Nunca lo vi con tanta luz. Se ve como un verdadero parque infantil. Vamos allá, ahora mismo, papo.

—¿Al parque infantil?

—Al parque infantil.

—¿¡En serio?!

—Sí, ahora.

El parque lo llamaba. El viejo se puso los zapatos y la capa y agarró el bastón. Dejé a un lado todos los temas que quería tocar, ya tendría otra oportunidad. Esperaría a estar en algún lugar que no fuera aquel sótano.

—Tienes dinero para pagarme el tren, ¿verdad?

—Mejor que eso, vamos a tomar un taxi.

Salvador se llevó las fotos y no dijo ni una sola palabra durante todo el camino. Se quedó mirando por la ventanilla, viendo El Barrio pasar. Había vivido en muchos lugares, en muchas manzanas, y mirar por la ventanilla del taxi estaba revolviendo sus recuerdos. Cruzamos el Central Park hacia el Upper West Side y de ahí a Clinton, alguna vez llamado Hell's Kitchen.

Llegamos a la 46 West y la Novena Avenida, le pagué al taxista y Salvador se tiró del taxi como si estuviera en llamas. Corrió a la verja y sacó del sobre la fotografía del parque infantil. Comparó el parque real con el de la foto, pero no entró. Caminó alrededor del parque cercado, sus recuerdos corrían en reversa. Puso las manos en los alambres de acero y gritó como si quisiera tumbar la verja.

Sentí su aturdimiento, su vergüenza de que yo fuera testigo de ese clamor, y volvió a ser un viejo dócil.

—Papo, tú sabes que, si pudiera, todo lo que pediría sería empezar de nuevo. Eso es todo lo que quiero, volver a empezar. Pero no se puede, papo. —Ya me había dicho eso antes—. Pero, si pudiera volver a empezar —Muchas veces había tenido esa conversación consigo mismo—, ¿dónde empezaría? —Volvió a mirar la foto—. Mi vida es un desastre desde el primer día. ¿Dónde empezaría?

—Puede empezar ahora, Sal —le dije—. No debe castigarse más de lo que ya lo ha hecho viviendo en la oscuridad.

—Tengo que hacerlo. —Guardó la foto y comenzó a caminar hacia el precinto.

—No, no tiene que hacerlo. Escuche, usted no tiene que sentir vergüenza. Usted ya pagó su deuda con la sociedad, estuvo encerrado durante muchos años...

—Pero eso no trae a nadie de vuelta. —Me interrumpió de forma firme, pero respetuosa.

Por fin vi media sonrisa, aunque era más de tristeza que de cualquier otra cosa. Caminamos por el Hell's Kitchen de Salvador, el rudo vecindario de donde era el superhéroe Daredevil de Marvel. Pero la gentrificación convirtió a Hell's Kitchen en Clinton y ahora lo único infernal que quedaba eran sus alquileres.

—Mira papo, ¿has oído el cuento del Destino que viene a jugar a las cartas con el vagabundo? —Negué con la cabeza—. Bueno, el Destino viene a jugar a las cartas y el vagabundo piensa que puede ganar y cambiar su futuro.

Pero, papo, el vagabundo ve que el Destino hace trampa. El vagabundo ve todos los trucos sucios que hace el Destino y pierde la partida. El Destino le dice: "Siempre serás un vagabundo". Este responde: "Porque tú hiciste trampa". Y el Destino le dice: "Sí, pero te dejé jugar".

—No lo entiendo —le dije.

—Significa que mi vida estaba podrida desde el principio —dijo—, pero al menos tuve una vida. Y quizás eso es todo. No lo sé. ¿Quizás debería estar contento hasta con mi vida podrida? ¿No es así? Pero eso no tiene sentido, papo.

—Sabe, Sal, quizás esa espiritista pueda ayudarlo a usted también. Peta Ponce, digo, ella viene de todas formas, no hay nada que perder.

Él siguió caminando.

Cuando llegamos al precinto, él no entró. Igual que hizo en el parque infantil, comparó el de la vida real con la fotografía.

—Sal, yo sé que la luz del día le hace daño, pero ¿qué tal si yo lo acompaño a estos lugares de día? Usted sabe, para que no esté solo —le sugerí.

—No, papo —me dijo, mirando fijamente el precinto—. De día puedo toparme con una de ellas.

—¿Toparse con quién?

—Con las madres.

—¿Las madres? ¿Qué madres?

—Las madres de los muchachos.

Yo pensé que eso sería altamente improbable. Hacía tanto tiempo que eso había ocurrido que esas madres probablemente ya no existían. La década del Capeman también había muerto. La mayoría de los adultos de ese tiempo ya habían partido hacia las estrellas. Pero él insistía en que ese no era el caso. Si él todavía estaba vagando por la tierra, esas mujeres de seguro también. Era este miedo de tropezar con fantasmas vivientes lo que lo mantenía en la oscuridad.

—Sal, las probabilidades de encontrarse con una de ellas son prácticamente cero.

—No papo, las madres están aquí. En este momento. Durmiendo en algún lugar. —Movió la cabeza, negando muy rápido—. Y si me topo con ellas, ¿qué voy a decirles? ¿Cómo explicar que yo les arrebaté a sus hijos? ¿Entiendes, papo?

Era mucho más que la luz del día lo que lo avergonzaba. Era tener que enfrentar un pasado remoto en la piel de personas reales. Aun cuando una de estas madres estuviera viva y por casualidad se topara con ella, ella nunca lo reconocería, ni él a ella, pero Salvador creía en su corazón que ese encuentro seguro iba a ocurrir.

—Podemos ir a las tumbas de esos muchachos, de noche —le propuse.

—¿Para qué? —Despegó los ojos del precinto para mirarme.

—Para decirles que lo siente.

Su cara se hinchó, incluso de noche yo podía ver que sus ojos empezaban a llenarse de lágrimas. Salvador nunca hacía ruido cuando lloraba. Ni siquiera sollozaba. Solo segregaba lágrimas silenciosas que tapaban sus patas de gallo. Ahí se quedaban atascadas como recuerdos en su rostro arrugado.

—Eso es para los vivos. Visitar las tumbas es para los

vivos, papo. No puedo pedir perdón a los muertos. —Su voz no se resquebrajaba, solo había lágrimas.

Y entonces, subió lentamente las escaleras del precinto y abrió la puerta.

Pensé que iba a entrar, pero cerró la puerta.

—Me sacaron esposado —contó mientras bajaba las escaleras, secando sus lágrimas, pero no su tristeza—. Había mucha gente fuera; televisión, camarógrafos, reporteros. Todos bloqueando el camino hacia el vehículo de la policía que me llevaría a The Tombs. —Me mostró el lugar donde estaban apostados en la acera los equipos de televisión. Entonces, se detuvo justo en el borde de la acera—. Ese reportero me plantó el micrófono en la cara. Yo lo había visto antes. Usaba espejuelos. Era del Canal 4, de nombre Gabe Pressman, y ese fue quien me preguntó: "¿Cómo cree que se siente su madre en este momento?". —Sus ojos seguían inundados, pero podía hablar sin ahogarse—. Fue en ese momento que lo dije. —Eso lo avergonzaba igual que la luz del día—. Ahí fue cuando dije aquello, tú sabes, papo, aquello, aquellas palabras. Yo era un niño. Vi todas esas luces y me hacían sentir grande y malo. Como una estrella de cine. Yo era un niño. Así que lo dije, pero yo era solo un niño. Me llamaron "The Capeman", pero yo era solo un niño. Así que lo dije, lo dije. Dije: "No me importa que me fríán. Mi madre puede observar".

—Está bien, Sal —le dije, aunque yo nunca hubiera podido imaginar cómo sería estar en su lugar.

No podría entender su culpa por algo que no podía reparar. No había nada que pudiera hacer o decir. La moraleja era su propia vida. Salvador estaba atrapado en esa vida y ya fuera que los demás aprendieran o no de ella, o que él hubiera sido perdonado o no, no había mucho que él pudiera hacer. No había un botón para reiniciar. Una vida sin ensayo. El actor sube a escena en frío.

—Yo nunca quise decir eso sobre mi madre, papo.

—Lo sé, Sal.

—¿Tú sabes que ella murió cuando yo estaba en ese lugar? —Quería decir en prisión, yo lo sabía—. Así que nunca tuve la oportunidad de decirle a mamá que lo sentía.

Era cruel aritmética, como el personaje de la mitología griega que empuja la roca montaña arriba solo para que vuelva a caer rodando montaña abajo. Sal era ese individuo. Sal era Sísifo. No se quejaba ni decía que era injusto, solo lo soportaba. Si bien le hacía daño, lo afligía y lo avergonzaba, aceptaba que había hecho cosas terribles y sentía que era justo que debiera sufrir. Abrazó el sufrimiento. Reconstruía y reproducía una y otra vez en su mente los acontecimientos de esa noche y, en cada ocasión, él era el asesino.

—Solo pediría volver a empezar.

Esta vez no terminó la oración. Sus hombros se desplomaron y sus viejos brazos larguiruchos colgaron a los lados. El cuerpo largo y flaco de Sal colgaba sin vida igual que el disfraz en su apartamento. Intenté poner el brazo alrededor de El Vejigante, pero no podía llegarle al hombro, era tan alto, así que posé mi mano extendida sobre su espalda y le di una palmada al anciano, que seguía llorando.

—Todo está bien, Sal. Le di palmaditas al viejo como si estuviera sacándole los gases a un bebé—. Todo va a estar bien. Todo va a estar bien.

Verso 13

ENTRÉ A MI edificio del proyecto. La puerta del ascensor se abrió y Mario estaba esperando. Intenté hablar, pero rápidamente me hizo una llave de cabeza. Me arrastró dentro del ascensor. Me dio un puñetazo en la cara, marcó el último piso en el ascensor y me arrastró a la azotea. El cielo nocturno estaba hermoso. La ropa acabada de lavar se secaba en tendederos cerca de nuestro edificio del proyecto. Las sábanas blancas flotaban al viento y la línea del horizonte de Nueva York resplandecía en toda su gloria.

—Si la memoria no me falla, tú y el manco antes solo usaban Skechers, y ahora los veo con Nike —dijo Mario después de tirarme al asfalto.

—Escucha, Mario, no tenemos que hacer esto, podemos hablar, ¿*okey*? Podemos encontrar la forma de arreglar esto —le dije, con la esperanza de que no estuviera tan loco como para lanzarme desde la azotea de la forma que lo hacían los policías a los puertorriqueños años atrás. Quizás todavía lo hacían.

Me golpeó en la cara.

Me recuperé.

—Mario, podemos hablar de esto, ¿*okey*?

Pensé en lo que me había contado Taína. Traté de verlo con otros ojos. Quizás solo estaba montando un *show* para sus amigos y realmente no era tan malo. Yo también era culpable de hacer esas cosas. Había mentido frente a mis amigos y había hecho cosas de las que no estaba orgulloso solo para parecer *cool* ante ellos.

—Escucha, tengo una idea...

Mario me golpeó en el estómago.

Otra vez estaba en el piso.

—Me llevé el brazo de tu amigo, pero, *okey*, lo recuperó. Ahora, dime, ¿qué te traes?

Miré a Mario y por mi madre que no podía ver al tipo que le llevaba cannoli a Taína. Me agarró por la camisa y me levantó del suelo sin problema.

—Siempre tienes dinero. ¿Cuál es tu truco?

Me soltó la camisa para que yo pudiera decirle.

—¿Cómo carajo consigues el dinero? —gritó.

Yo estaba en la cima de una azotea, alto en el cielo, más cerca de Dios. Pero yo sabía que Dios no iba a venir a salvarme.

—¿Cuál es tu estafa, *psycho*? Y no me hagas un cuento chino. —Escupió.

—Mario, ¿por qué eres así? —le dije, adolorido—. Taína me dijo que tú le llevabas dulces...

Caí derribado sobre un lado de la cara.

—¡La perra está mintiendo! —gritó—. Yo nunca le llevé cannoli.

—¡Ves! ¡Nunca dije que fueran cannoli! Así que, ¿cómo sa...?

Otra vez caí derribado.

Embestí a Mario, con la cabeza delante, para intentar tumbarlo, pero me echó a un lado como a una hostia. Caí sobre mi espalda. Podía ver la luna llena. Había una nube azul oscuro con la forma de un pájaro.

—Al carajo con esa perra. Solo tiene tetas y nada más.

Hubiera querido que Taína estuviera aquí para que lo viera de la manera que yo lo veía. Aun así, intenté entrar en razón con él y decidí no pelear más.

—*Okey* —le dije—, pero tienes que trabajar con nosotros. Te daré una tajada, ¿*okey*?

—¿Trabajar? ¿Qué quieres decir con trabajar? ¿Se trata de trabajar? Entonces, te cobraré un impuesto.

Este tipo era una víbora.

Me dio una bofetada y me retó a contraatacar.

Yo no me moví.

Esperó. Él estaba más furioso que yo porque yo no decía nada.

—Te voy a cobrar un impuesto de cien dólares al mes.

No me pude aguantar y lo maldije. Mala idea. Me dio un puñetazo directo al hígado. Cuando me doblé del dolor, registró en mis mahones y me robó. Contó los billetes y le gustó lo que vio.

—Inflación —dijo, contento con el dinero—. Doscientos dólares al mes.

Me quedé callado, más que nada por el dolor.

—Esto es retroactivo —dijo, mostrándome mis propios

billetes que ahora eran suyos—. El primer pago es el viernes del mes que viene. O esta vez no me llevaré el brazo de BD, sino el tuyo.

Mario hablaba y amenazaba como lo peor de Pleasant Avenue cuando todavía la llamaban Little Italy los mafiosos del pasado que estafaban a quienes no podían acudir a la policía. Los que, como yo, estafaban a su vez a alguien más. Pensé que Mario y yo estábamos infectados con el virus brutal de la violencia de nuestro vecindario, pero yo tenía demasiado dolor como para tratar de entenderlo.

Mario se largó.

Me sentí feliz de ver que se iba. Mi estómago se sentía como si hubiera comido piedras. Me senté en la azotea de brea, a catorce pisos de altura, y deseé poder saltar al edificio que se alzaba en frente, aterrizar en los tendederos y quitar una sábana blanca limpia para envolverme en ella. Temblando de humillación, miré el horizonte de Nueva York. Pensé que Nueva York estaba muriendo de asfixia. Se estaban construyendo demasiados rascacielos feos y baratos y la línea del horizonte era ahora un caos de desordenados rectángulos. Bellezas como el edificio Chrysler necesitaban su propio espacio, su propio escenario para brillar. En lugar de eso, otros rascacielos lo estaban exprimiendo, sofocando, destrozando. Ya no se podían ver las gárgolas. La mejor línea del horizonte del mundo se había convertido en una aglomeración de cajas apretujadas.

PETA PONCE

Hay ánimas no santas capaces de hacer milagros, cosas más grandes que los milagros que hacen los santos de los altares, porque esas ánimas no santas siguen rondando por el mundo, no desaparecen, viven con nosotras, pueden aconsejarnos...

—JOSÉ DONOSO, *EL OBSCENO PÁJARO DE LA NOCHE*

Verso 1

PETA PONCE NACIÓ en un cuerpo que sentía ajeno. Su cabeza era demasiado grande para su torso regordete. Sus brazos eran asimétricos, parecía que la joroba que cargaba era donde había quedado el resto de su brazo derecho. Era negra como la brea y de niña no conoció otra cosa que la tristeza. Sus padres tenían miedo de que sus futuros hijos nacieran igual que ella, así que odiaban a su primogénita. La pusieron a trabajar en el pueblo de Cabo Rojo, llamado así por sus minas de sal roja. Peta Ponce limpiaba, barría, planchaba, cocinaba, doblaba la ropa, servía y ni una sola vez mostraba amargura.

Un día, llegaron los médicos a Cabo Rojo, de la misma manera que se presentaban en muchos pueblos, con sus maletines negros y camionetas facilitadas por el gobierno. Estos doctores eran contratados y enviados por el gobierno no para educar o curar; venían a ver qué mujeres en ese pueblo en particular eran incapacitadas, retrasadas mentales o "promiscuas" a juicio de ellos. Salvador me contó que cuando vieron a Peta Ponce, no vieron a una niña, sino más bien a un fenómeno que tenían que asegurarse sería el último de su especie. Los médicos aseguraron a los padres de Peta Ponce que sería beneficioso para ella, que había que extirparle el "apéndice", aunque su apéndice estaba sano. Eso dijeron y no les dieron información, ni opciones ni elección. Sus padres aceptaron la palabra de los doctores como si viniera de boca del mismo Dios. Toda la gente en Cabo Rojo confiaba en estos médicos. No sabían que esos doctores a menudo manipulaban los expedientes médicos para que pareciera que la esterilización era necesaria por la salud de las niñas. Los jíbaros de Cabo Rojo no entendían —según me explicó Salvador— que, para los Estados Unidos, Puerto Rico era una cantera de mano de obra barata y altas ganancias, libre de impuestos, y un área de pruebas para el control poblacional; hasta la píldora anticonceptiva fue probada allí. Todos estaban involucrados. Todos sacaban provecho. El gobierno de Puerto Rico pagaba a los médicos y Estados Unidos le rembolsaba el dinero. La iglesia recibía su mordida y esta política no escrita se implementó durante años.

Salvador me dijo que la joven Peta Ponce tampoco entendía esto, ella solo sabía que los médicos eran una especie de dioses. Llegaban a un pueblo de agricultores y campesinos y curaban a algunos, mientras esterilizaban a las mujeres. Y nadie cuestionaba nada. Pero todos sentían un triste silencio cuando los doctores se iban.

Fue entonces, según Salvador, que Peta Ponce se dio cuenta de que para poder combatir esto ella tendría que aprender a hablar con los muertos.

Peta Ponce se fue de Cabo Rojo. Deambuló de un pueblo a otro, durmió en iglesias, altares, salones de belleza, mercados, chozas, riberas, campos, cualquier lugar donde los espiritistas, santeros, excéntricos y místicos de determinado pueblo estuvieran dispuestos a verla. Caminó por toda la isla acumulando de todo un poco: folklore, superstición, chisme, todos los detalles de nuestras raíces taínas, de las raíces africanas, del misticismo católico, del espiritismo, mesa blanca, palo monte, regla lukumi. Peta Ponce lo asimiló todo. Los ancianos místicos de los pueblos siempre veían una luz que la seguía.

Una noche, en Guayama, el pueblo de los brujos, llevaron a Peta Ponce con su ropa vieja y sudada con tufo a arroz y ron a la orilla del río. En esas aguas poco profundas pero violentas, Peta Ponce fue bautizada espiritista por los ancianos místicos a quienes, según decía Salvador, los espíritus les habían susurrado que esta joven había nacido con un don para lograr que las personas vieran la divinidad en lo que antes veían como banal.

Peta Ponce conocía todas las palmas, las plantas, los montes, los pantanos, los coquíes, los cementerios, el calor, los ríos, los barrancos, las rocas, las iguanas, las serpientes y los pastizales de tierra, los gatos que vagaban de noche por El Morro; toda la isla hablaba con ella en este dialecto donde la realidad y la imaginación, la vigilia y el sueño pueden intercambiarse. De alguna manera, Peta Ponce siempre había sabido estas cosas, como los niños que saben sus oraciones pero no pueden recordar de quiénes las aprendieron.

Sal me contó que una noche, en una solitaria orilla, durante una ceremonia de bautismo, se escuchó un grito.

Comenzó quedo y lento y parecía borbotear del mismísimo barro, más agudo y más furioso. Un alarido lleno de odio que formaba palabras que no eran humanas. Chillidos solo comprensibles en algún otro dominio. A la mujer que gritaba la sujetaban otras tres que forcejeaban con ella en el lodo. Las tres espiritistas no podían calmarla. Hasta que llegó Peta Ponce. Les ordenó a las tres mujeres que soltaran a la que gritaba. Cuando la mujer enfangada miró a Peta Ponce se tranquilizó, como si Peta Ponce fuera la única persona capaz de entender su idioma. Los ojos de la mujer enfangada empezaron poco a poco a enfocarse, como si volviera de la lejanía y descubriera nuevamente el mundo. Temblorosa, se agarró del traje de Peta Ponce y le rogó que no la dejara morir otra vez. Dice Salvador que Peta Ponce le susurró a la mujer que con la ayuda de los muertos ella cambiaría las definiciones, los significados de sus tribulaciones.

Igual que los doctores que la precedieron, Peta Ponce iba de pueblo en pueblo. Su monstruosa presencia aterraba a los hombres, pero las mujeres la buscaban como limaduras de hierro atraídas por un imán. Mujeres que habían rezado a todos los dioses que sus madres habían conocido. Mujeres que habían rezado a todos los santos que heredaron de sus abuelas. Mujeres que habían rezado toda su vida, pero no habían recibido paz. Esas mujeres buscaban a Peta Ponce. Ella era capaz de capturar sus sentimientos de arrepentimiento, de vergüenza, de ser coaccionadas, de abuso, y transformaba las definiciones de estas aterradoras emociones en algo diferente. Ella podía doblar, torcer y voltear las experiencias hasta tiempos tan remotos que lo que había ocurrido se veía desde una perspectiva completamente diferente. Las palabras que describían estas aterradoras emociones adquirían nuevas definiciones. Los espíritus le otorgaban el poder de entretejer, enrollar, torcer y ondular las emociones de manera tal que el alma pudiera encontrar el camino de vuelta a la felicidad.

Para Peta Ponce, existían cimientos invisibles, un plano oculto que sostenía el plano material. El mundo material no era solo nuestro, lo compartíamos con los muertos. Los muertos estaban a nuestro alrededor saltando del mundo material al espiritual. Los espíritus no estaban motivados por la malicia, sino más bien por encontrar el equilibrio al tener que compartir el mundo material con los vivos. Existían en una perpetua oscilación entre la tristeza por no seguir siendo de carne y hueso y la gratitud de seguir existiendo en alguna otra forma. Peta Ponce creía que solo existía un plano a donde los muertos nunca podían ir, y ese era donde vivía Dios. Y ni siquiera los muertos habían visto el rostro de Dios, ya que Dios no habitaba con los muertos. Los muertos se quedaban aquí en la tierra y deambulaban por el planeta viviendo entre nosotros. Los muertos estaban aquí para guiarnos, para ayudarnos a entender que todo es solo cuestión de turnos. Cuando te toque el turno de dejar el mundo material, los muertos estarán ahí para ayudarte en esa nueva fase de la vida. Porque de la misma manera que había personas esperándote cuando naciste —predicaba Peta Ponce—, habrá personas esperándote cuando pases al otro lado.

Mucho tiempo después, Peta Ponce fundó una escuela, una casita de su propiedad, *La Casa de Ejercicios Espirituales de la Encarnación.* Las mujeres quebrantadas llegaban, algunas se quedaban, otras se iban, pero sus historias eran las mismas. Mujeres engañadas, coaccionadas, desinformadas u obligadas a hacerse la operación. Mujeres forzadas a perder hijos para poder trabajar o mujeres que eran maltratadas, golpeadas de alguna forma, todas necesitaban a Peta Ponce para revertir las definiciones de su melancolía.

El nombre de Peta Ponce se dio a conocer rápidamente en el continente. La operación se estaba haciendo allá también, desde South Bronx, Lower East Side, Bushwhick, El Barrio, Chicago, Filadelfia, Nueva Jersey, Los Ángeles, Hartford, Boston; sucedía dondequiera que hubiera una mujer dándole al pedal en una fábrica clandestina, en una factoría, manejando una caja registradora o limpiando alguna oficina. Los jefes querían que las mujeres produjeran dinero, no hijos. El Estado no quería que las mujeres puertorriqueñas se reprodujeran. No era control de la natalidad, sino control poblacional. No eran las mujeres las que lo decidían, sino el estado.

Cuando Sal me contó esto, yo me quedé pasmado y aterrado ante la idea de conocer a Peta Ponce.

PETA PONCE LLEGÓ a casa de Taína vestida toda de blanco. Su cabello estaba bien recogido dentro de un pañuelo del que salía un clavel como una oreja blanca. Le costaba trabajo mover su pequeño cuerpo desproporcionado. Su pisada era tan fuerte que parecía que quisiera romper el piso debajo de ella. Peinó el apartamento de Taína, olfateando cada rincón como un cachorro nuevo. Peta Ponce escarbó también las paredes con sus uñas como si necesitara dejar rasguños. Su aspecto y sus acciones me asustaron, pero me sentí aliviado de que finalmente hubiera llegado.

La mesa de la cocina estaba cubierta con un mantel blanco, flores blancas y velas blancas. Había un despliegue de comida puertorriqueña, parte ya consumida, ya que Doña Flores había obsequiado un banquete a la espiritista y a Taína, mientras que otros platos permanecían intactos para los espíritus. Taína estaba sentada en la sala, asustada. Tenía un precioso vestido blanco largo. Su cabello estaba suelto y caía sobre sus hombros con esmero. Las pestañas recién arregladas enmarcaban sus ojos color avellana y sus nerviosos labios tenían un color rojo suave. El vientre de Taína era un globo. Era cuestión de días para que diera a luz. Nunca la había visto tan hermosa y tan familiar. Cuando vio que yo estaba allí, exhaló y sonrió ligeramente. Taína le tenía miedo a Peta Ponce porque no dijo ni una sola palabrota.

Yo había llevado el dinero conmigo y estaba a punto de sentarme en el piso al lado de Sal.

—Afuera, Juan Bobo —dijo Doña Flores extendiendo la mano en espera del dinero.

—Taína quiere que me quede.

Salvador asintió con la cabeza dejándole saber a su hermana que estaba bien.

—No. —Doña Flores negó con la cabeza—. Esto es un asunto de familia y Juan Bobo no es familia.

Me volví a la espiritista buscando apoyo.

—Familia, na' ma' —dictaminó Peta Ponce.

Taína abrió la boca en señal de pánico. Se inclinó un poco como si fuera a protestar porque me iba, pero yo sabía que Taína no se iba a oponer a los deseos de su madre.

—Entonces, me llevo el dinero —dije.

—No, ya tú prometiste que me lo ibas a dar para pagar a la espiritista —respondió Doña Flores.

—Inelda, eso no está bien —intervino Salvador.

Yo sabía que ella tenía en alta estima sus palabras, así que pensé que iba a poder quedarme.

—Él turba a los espíritus, ellos no lo conocen —explicó a su hermano, a quien tenía por santo—. Lo que ocurrió en esta casa solo los espíritus lo saben y él no es parte de esta casa.

Salvador asintió con la cabeza. Entonces, le hizo una reverencia a Peta Ponce.

Yo también le hice una reverencia a la pequeña mujer que podía distorsionar el tiempo, torcer definiciones, cambiar el significado de los sentimientos y hablar con los muertos.

—Juan Bobo —dijo con amabilidad Doña Flores—, dame el dinero. Puedes ver a Tate después que sepamos la verdad.

—No —le dije—. Yo me llevo el dinero.

Miré a Taína.

—Te veré de nuevo, ¿*okey*?

Taína asintió levemente con la cabeza porque estaba asustada. Y fue en ese instante, cuando asintió ligeramente con su cabeza, que supe que ella quizás también me quería, a pesar de todos sus despóticos insultos.

Doña Flores empezó a decir palabrotas.

—¡Malcriado, puñeta! —soltó—. Dame el dinero, tú lo prometiste.

Me dirigía a la puerta y oí a la espiritista preguntarle a Sal si alguien más tenía dinero. Cuando él dijo que no, la espiritista me dijo que esperara.

—¿Tu nombre, m'ijo? —preguntó Peta Ponce.

—Julio —le contesté—. No Juan Bobo. Mi nombre es Julio.

Entonces, Peta Ponce empezó a husmear el aire a mi alrededor, los espacios a mi alrededor, y a tocar toda mi ropa y olisquearla también. Me tocó por todas partes como un obsceno pájaro de la noche.

—De rodillas —ordenó.

Me arrodillé y tomó mi cabeza entre sus manos, acercó mi rostro a sus densos pechos y comenzó a rezar.

—Santa Marta, recurro a la ayuda y protección, como prueba de mi afecto quemaré esta vela cada martes, intercede por mi familia y protege a este extraño.

Entonces, como si alguien le hubiera hablado, empujó mi cuerpo y caí en el piso frente a ella.

—Los espíritus ya saben quién es este muchacho —afirmó Peta Ponce y bajó la vista para mirarme—. Tu madre, yo sentí a tu madre —me dijo.

Yo me quedé en el piso, temeroso de esta mujer que había visto y sentido a mi madre a través de mí.

Pero ella no había venido por mi madre ni por mí, ni tampoco por Sal o por Doña Flores; ella había hecho el viaje desde Cabo Rojo por Taína.

Doña Flores le había pagado el pasaje de avión a Peta Ponce, pero no le había pagado por la sesión.

—El derecho, pa' lo' espíritus —exigió Peta Ponce.

Me levanté del piso y busqué en el bolsillo. Le extendí el fajo de billetes de cien a Peta Ponce. Indignada, de un manotazo apartó mi mano.

—Inelda. —La espiritista señaló a Doña Flores—. El derecho me lo da Inelda.

Yo no veía la diferencia, pero hice lo que me dijo. Le di el fajo de billetes a Doña Flores y ella, a su vez, se lo dio a la espiritista. Peta Ponce no lo contó, simplemente dividió en mitades los fajos de billetes y rellenó el brasier, lado izquierdo, lado derecho, como si creara un equilibrio en su cuerpo.

Ordenó a Doña Flores que llenara un bol con agua mezclada con agua maravilla y encendiera una vela blanca y colocara ambas cosas sobre la mesa en la sala, donde iba a invocar a los espíritus que vivían en la casa de ella. Esos espíritus que estuvieron presentes cuando ella quedó embarazada. Esos espíritus serían quienes le dirían qué fue lo que sucedió.

Peta Ponce se dirigió a donde estaba sentada Taína en el sofá. Ayudó a poner de pie su cuerpo preñado. Sonrió amorosamente, finalmente sonrió, y le susurró a Taína en la más dulce de las voces que no tuviera miedo.

Le dijo que "los espíritus viven con nosotros, mi bella. Ellos rondan sobre nuestros cuerpos cuando dormimos, ¿tú sabe?". Entonces, la tomó de la mano como si fuera una niña pequeña. Las dos mujeres entraron a la habitación de Taína y la espiritista cerró la puerta.

Yo oí murmullos, susurros, una suave voz que ordenaba a Taína que le mostrara toda su ropa, sus prendas, medicinas, tampones. Que necesitaba hacer contacto con estas cosas porque los espíritus dejaban huellas. Que los espíritus tocaban nuestras cosas, usaban nuestra ropa y olisqueaban nuestros desechos cuando no estábamos presentes. Calentaban sus manos sobre nuestros cuerpos durmientes como si fuera una fogata para recordar lo que se sentía ser de carne y hueso.

Cuando volvieron a salir, Taína tenía puesta la misma bata de dormir que yo le había visto usar. Debe haber sido la bata de la noche cuando descubrió que estaba embarazada. Tomadas de la mano, la espiritista llevó a Taína por todo el apartamento. Peta Ponce husmeó todos los rincones mientras recitaba oraciones cortas y rápidas y se chupaba los dedos después de tocar paredes y pisos.

Cuando terminó de rezar, Peta Ponce apagó las luces. Solo las velas iluminaban la casa. Nos ordenó a todos permanecer callados. Se quitó el clavel blanco que estaba prendido a un lado de su cara por el pañuelo blanco y lo sumergió en el bol de agua. Nos roció a cada uno con el clavel y dijo:

—Como el día que nacimos, fue una mujer que no 'conectó' a Dios.

Doña Flores se sentó en el sofá. Salvador se sentó a su lado. Yo estaba sentado en el piso. La espiritista sentó a Taína en una silla y se paró detrás de ella. La mujer rechoncha no sobrepasaba a Taína de pie, pero sí era más alta que Taína sentada.

El bol de agua que había llenado Doña Flores estaba cerca de Peta Ponce. Ella pasó su dedo alrededor del borde y le dio un golpecito con el índice al vidrio haciéndolo sonar como una campana que avisaba al universo que esta misa iba a comenzar.

Lo único que hacía la espiritista era permanecer de pie detrás de la silla donde estaba sentada Taína. No pasaba nada. Peta Ponce solo miraba al frente fijamente.

El silencio parecía prolongarse una eternidad.

Entonces.

Peta Ponce comenzó a gemir, un zumbido monótono como el de un motor encendido.

Peta Ponce cerró los ojos.

Sus dedos comenzaron a moverse abriéndose paso hasta el cabello de Taína. Empezó a peinarla lentamente, pero pronto sus dedos aceleraron, peinando el cabello de Taína cada vez más rápido. Dejó el cabello y empezó a frotarse las manos muy rápido como si intentara hacer una fogata con sus manos. Los movimientos adquirieron más velocidad, zapateaba con sus pies cortos y pesados a un ritmo persistente y comenzó a palmotear por todas partes. A medida que aumentaban sus movimientos musicales, sus gemidos se hacían más y más fuertes. Estaba entrando en el irreconocible lenguaje del mundo de las ánimas.

—¿Quién estaba aquí esa noche? ¿Aquel día? —gritó en inglés a las paredes, las mismas paredes con las que hablaba Doña Flores—. ¿Quién estaba ahí esa noche? —imploró y su cuerpo se sacudió.

Peta Ponce comenzó a frotar los brazos de Taína de arriba a abajo y luego volvió a palmotear al aire, preguntando a los espíritus quién estaba allí. Entonces, con un movimiento rápido y sutil, levantó la vela blanca de la mesa y, como si levantara el fuego mismo, arrojó las llamas al recipiente de agua y ahogó el fuego de la vela mientras gritaba.

Los ojos de Taína estaban aletargados como si estuviera a punto de dormirse. Cabeceaba. Yo solo podía ver su cabello cubriéndole el rostro. Estaba sentada inmóvil mientras Peta Ponce hacía todo ese ruido y recitaba plegarias en algún idioma que yo no conocía.

De repente, la espiritista se detuvo como si acabaran de patearle la garganta.

Se paró derechita detrás de la Taína durmiente. Extendió los brazos y comenzó a agitarlos de arriba a abajo con elegancia como si fueran alas y empezó a hablar en inglés.

—Yo estaba acostada en mi cama de noche —dijo suavemente la espiritista, con los ojos cerrados— cuando llegaron las palomas. —Era la voz de una niña, aunque era Peta Ponce quien hablaba—. Yo estaba acostada cuando dos palomas entraron por mi ventana. Ambas eran blancas, puras y hermosas.

Cuando la espiritista abrió los ojos, todo su semblante había cambiado. Sus pechos se elevaron como si un muchacho la impresionara. Su joroba aleteaba como si estuviera coqueteando, con lentitud y gracia.

—Entraron volando por mi ventana. Saltaban y revoloteaban por mi habitación. Algunas veces, chocaban en pleno vuelo como si se besaran. Una era más blanca que la otra. Ambas palomas aterrizaron en mi alfombra rosada, la que mami me compró en la tienda de 99 centavos. —Doña Flores asintió con la cabeza aceptando que eso era cierto—. Dos pájaros preciosos mirándose uno al otro. —La espiritista pestañeó como si estuviera enamorada—. Ambas palomas me miraron y dieron un paso al frente. Se miraron entre sí y me miraron y volvieron a mirarse. No sé en qué momento sus alas empezaron a crecer. Lentamente, musculosas como troncos de árboles, sus alas se volvieron enormes y también el resto de sus cuerpos. Sus ojos comenzaron a brillar con una luz blanca que los hacía transparentes como fantasmas. —La espiritista batía los brazos con elegancia como había hecho antes, como una gaviota surcando los cielos. Agitaba los brazos y seguía hablando como una colegiala—. Empezaron a hacer esos sonidos que hacen las palomas que parecen *popcorn* o pollos, pero que no es exactamente como *popcorn* o pollos. Hablaron entre ellas de esa manera y los sonidos se hicieron más frenéticos. Empezaron a golpearse. Pero no con sus manos, ni con sus brazos, ni con sus pies o sus cabezas o sus dientes, que tenían. Empezaron a golpearse con sus enormes alas y derribaron mis libros de la escuela y casi rompen el espejo que está colgado al lado del clóset.

Doña Flores no pudo soportar más y espetó abruptamente:

—¿Dónde estaba yo cuando estaba pasando todo eso? ¿Dónde estaba yo?

Furiosa, la cabeza de la espiritista se volteó impetuosamente hacia Doña Flores y, con la voz de Peta Ponce, le dijo:

—Dormida en el sofá. Si hablas otra vez, me voy.

Me dio el frío olímpico.

Yo no iba a interrumpir sobre una revolución en el cuerpo de Taína ni nada de eso, porque esto me había asustado.

—Las aves se golpean con aletazos rápidos. Pensé que era un baile, pero no lo era y me asusté. Los pájaros eran machos y yo cerré las piernas y crucé mis manos así. —La espiritista se tapó la entrepierna. Todavía con la voz de una niña, habló con temor—: Yo estaba temblando. Traté de gritar alto, pero la voz no me salía. Traté de gritar. Las dos palomas no eran palomas, sino ángeles. Los ángeles estaban peleando. Lo único que podía hacer era mantener las manos donde las tenía. Estaba segura de que uno de los ángeles iba a lastimar al otro. El más blanco golpeó al menos blanco y este cayó en la alfombra. El ángel más blanco siguió golpeando al que estaba en el piso sobre mi alfombra. De pronto, el ángel más blanco se levantó de un salto y voló alrededor de mi cuarto muy rápido para agarrar velocidad, bajó en picada y se abalanzó sobre el ángel que estaba en el piso. Tenía garras. El ángel tenía garras.

La espiritista se arrodilló y abrazó a Taína, que estaba todavía delante de ella, sentada y dormida. La envolvió con sus cortos brazos como si fuera su madre. Peta Ponce comenzó a llorar a medida que los espíritus continuaban concediéndole el poder de doblegar el tiempo.

—El ángel más blanco golpeaba ahora sin cesar con sus garras al más oscuro. Al principio, el más oscuro trataba de evitar que lo pisoteara o lo pateara. Intentó impedir los golpes con sus alas lo mejor que pudo, pero, poco a poco, se fue dando por vencido hasta que se detuvo y se quedó ahí tirado como un pájaro muerto aguantando todos los golpes.

Salvador se movió más cerca del borde del sofá y Doña Flores tragó en seco. Yo no sabía ni qué pensar.

—El ángel oscuro empezó a llorar como un bebé y vi que su ala se había roto. Cuando abrí los ojos, el ángel oscuro me miró durante un segundo, pero yo realmente no le devolví la mirada y debe haberse ido por la ventana porque no volví a verlo. Todo ese tiempo, las luces estuvieron encendidas, pero mi habitación estaba oscura. El ángel blanco daba vueltas sobre mí. Podía ver sus enormes alas, que casi no cabían en mi cuarto. Sentí su sombra sobre mí, cubriéndome. Bajó volando, más cerca de mi cama, de donde yo no me había movido. Cerré los ojos y volví a abrirlos para asegurarme de que era el ángel más blanco. Cerré las piernas con más fuerza. Abrí los ojos solo un poco. Vi que el ángel tenía los ojos azules. Eran dulces. Podía oírlo diciéndome que no me moviera. El ángel blanco dijo "Shhh" y yo no sé por qué me decía *Shhh* porque yo había estado callada todo el tiempo. Sin usar sus manos, ni sus brazos ni su boca, solo con la punta de sus alas, comenzó a quitarme las manos de donde las tenía. Al principio, yo no quería mover las manos, sino dejarlas donde estaban, tapándome. Pero cuando me tocó con la punta de su ala, sentí que era el viento o que sus plumas eran una parte secreta de sí mismo que me estaba permitiendo sentir.

Todavía abrazando a Taína, la espiritista comenzó a silbar como si una corriente fresca hubiera entrado a través de la ventana cerrada. Su silbido revoloteaba alrededor de la sala.

—¿Qué hizo el ángel? —Doña Flores interrumpió otra vez.

Pero el espíritu no hizo lo que había dicho que haría, sino que le respondió.

—Hizo lo que fue enviado a hacer. —La voz de la espiritista seguía siendo la de una niña—. Lo que fue enviado a hacer.

—¿El ángel se quitó los pantalones? —preguntó Doña Flores.

La espiritista se rió con una voz tonta.

—Los ángeles no usan pantalones —dijo todavía en trance y abrazando a Taína, quien seguía sentada inmóvil y dormida.

—¿Usó solo sus alas? —preguntó Doña Flores.

—No. Nada de alas. No usó nada. Solo flotó sobre mí y las cosas empezaron a moverse. Mi cuarto daba vueltas. Y, de pronto, se detuvo como un ventilador que se apaga. Yo quería dormir.

—¿No hubo dolor? —preguntó Doña Flores.

—No. —Los ojos de la espiritista permanecían cerrados.

—¿Sangre? ¿Había sangre? —repitió Doña Flores.

—Sentí agua que salía de mí. Y el ángel blanco pasó una pluma de su ala sobre esta y el agua se fue. Entonces, salió volando por mi ventana. Me levanté de la cama para mirar por la ventana y vi la paloma mirándome fijamente, posada en el buzón de la acera de enfrente. —Los ojos de la espiritista se abrieron de repente—. Me estaba diciendo un nombre, Usmaíl.

Todo se quedó en silencio por un instante y un poco más.

—Padre nuestro que estás en los cielos santificado sea tu nombre, que se haga tu voluntad en los cielos como en la tierra —Peta Ponce comenzó a rezar.

Estaba regresando con nosotros, al mundo material

que compartimos con los muertos. Estaba exhausta como si volviera de una peligrosa aventura.

Se levantó y se dirigió al bol de agua y comenzó a rociar agua por toda la sala... "Limpieza, limpieza, limpieza".

Taína se despertó lentamente y dijo que no había soñado. Que solo había dormido. Profundamente. Peta Ponce comenzó a poner al tanto a Taína de lo que el espíritu que había estado presente cuando quedó embarazada nos acababa de contar.

—¿Por qué Dios mandaría a dos ángeles? ¿Por qué dos? —le preguntó Taína a Peta Ponce, quien siempre le sonreía amablemente.

—Dios no mandó do' ángeles —le explicó a Taína con una bondad digna de una abuela—. Dios mandó solo uno.

—Entonces, ¿quién mandó al otro fastidioso ángel?

—Tú sabe' quién, m'ija. El Negro. El Malo —afirmó Peta Ponce con ojos compasivos.

Se arrodilló y comenzó a sobarle los pies a Taína de la misma manera que lo había hecho yo.

Taína estaba satisfecha. Yo prácticamente podía oír latir su corazón contento, ya que había aceptado esto. Abrazó a la espiritista en agradecimiento por haberla liberado. Estrechó a Peta Ponce como si quisiera sacarle el aire a la pequeña mujer porque sus penas se habían ido o se habían transformado.

Doña Flores reía. Su alegría era inmensa. No podía parar y literalmente bailó hasta el clóset a donde Taína me había llevado antes. Lo abrió como si abriera unas puertas francesas o una bóveda que contuviera tesoros. El gigantesco almacén de instrumentos de bebé de Taína se vino abajo. Se desparramaron por todo el piso como Cheerios. Su rostro resplandecía. Pero no eran los instrumentos de bebé de Taína lo que buscaba. Buscó una silla y bajó los discos viejos, los LP de 45, 33 y los quebradizos 78 como alguien que se encuentra frente a un bufé después de estar varios días sin comer y no sabe qué escoger. Sal fue a ayudar y Doña Flores me sonrió. Yo sabía que quería dinero para un estéreo.

Taína dijo entonces en voz alta que necesitaba orinar. Estaba un poco sonrojada y con poco esfuerzo levantó su cuerpo preñado de la silla donde había estado sentada. Me regaló una sonrisa, una tímida sonrisa mientras bamboleaba su panza hacia la cocina. Allí tomó agua, agarró un muslo de pollo que había sobrado y caminó al baño. No cerró la puerta, se sentó en el inodoro y comió.

Verso 2

LE DIJE A Salvador que yo no lo creía.

Yo respetaba a Peta Ponce, pero o ella o el espíritu ese estaban equivocados. No había tenido ocasión de hablar con Taína porque, tan pronto terminó la misa, Doña Flores, alegre como un girasol, nos acompañó a Salvador y a mí a la puerta porque deseaba quedarse sola con Peta Ponce. Le comenté a Sal que habíamos ido al espacio sideral. Tenemos una buena idea de qué hay allí. Pero nunca hemos estado en el espacio interno, donde habitan los átomos. Nunca hemos enviado astronautas o sondas ahí, así que no sabemos qué existe entre todo ese espacio vacío. Ahí es donde nació Usmaíl, en el sanctasanctórum de Taína. Yo había leído que en todas las cosas existen patrones. Incluso en el caos ocurren cosas que están atadas por algún orden. Quizás en el cuerpo de Taína ese orden o ese patrón cambió. Algo salió mal o tal vez salió bien. Las leyes de su ADN se cruzaron.

Salvador dijo que eso significaría que los átomos son conscientes, que los átomos están vivos y pueden pensar.

Dijo que ese no era el caso. Yo le insistí que era una posibilidad, no sé. "¿Cómo sabemos si algo puede pensar?", le dije
a Sal. Una piedra o un pez o una langosta o un lápiz, hay
átomos dentro de esas cosas también, igual que hay átomos dentro de nosotros. Como los átomos en el cuerpo de
Taína. Solo hacía falta uno, uno de ellos que se sublevara.
Pero vi en sus ojos que él no quería seguir hablando de eso.
Para él, como para todos los demás, el caso estaba cerrado.

Antes de dejarme en la calle esa noche, Salvador dijo:

—Mira, papo, si Taína creyó que dos ángeles llegaron
una noche y se pelearon por ser el padre de Usmaíl, está
bien. —Me puso una mano huesuda sobre el hombro—.
Si tú crees que dentro, muy dentro del cuerpo de Taína,
donde viven los átomos, comenzó una revolución, eso también está bien, papo. El mundo es bien grande, hay espacio
para todo. —Justo antes de que sus largas piernas se lo llevaran, me miró con cariño—. Tú sabe', papo, que tú eres mi
único amigo. Nunca tuve muchos amigos. En toda mi vida,
nunca tuve muchos amigos. Quizás ninguno. Gracias, tú
sabe', por todo, papo.

No fui directo a casa esa noche. Tomé el ascensor a la
azotea del edificio. Miré el horizonte de Manhattan y me
pregunté si algo de lo que acababa de oír y de ver tenía sentido. ¿De dónde pudieron venir esos pájaros?

Y, entonces, vi algo.

Ya no estaba en la azotea.

Estaba caminando por el lado norte del Central Park.
Había ozono en el aire de la ciudad. El lago estaba limpio.
Los niños pescaban en el Charles A. Dana Discovery Cen-
ter. Tanto en los bancos como sobre la grama, había gente

de muchos colores y países, africanos y afroamericanos, así como latinos de todas partes de América, todos tomando el sol. Y vi cosas.

Vi una ciudad de cristal.

Rascacielos construidos de cristal.

Una ciudad de luces, colores e infinitas posibilidades. Un parque rectangular verde cruzaba la ciudad por el medio, dividiéndola en Este y Oeste. Tenía un agujero en la tierra a donde viajaban personas comunes y corrientes de todos los colores, géneros, niveles económicos y preferencias sexuales. Cuatro satélites circulaban a su alrededor o la completaban, haciéndola una ciudad de cinco. Entonces, nos vi a los tres. Usmaíl ya no estaba dentro del cuerpo de Taína. Ella estaba durmiendo, tendida sobre una manta en un campo verde de ese parque. Su cabello se desparramaba a mi alrededor, su silueta me seducía, sus brazos y piernas estaban al descubierto, delgada y encantadora como si no fuera la madre de nadie. Frente a nosotros, Usmaíl, ya adolescente, patinaba sobre el hielo, a pesar de que era verano y de que nadie patina en Harlem Meer ni siquiera cuando se congela en el invierno. Taina seguía durmiendo. Me levanté. Vi la gracia y elegancia con que patinaba Usmaíl. Entonces, Usmaíl se deslizó hasta mí y me dijo:

—Lo importante no es cómo llegué aquí. Lo importante es que estoy aquí, ahora. ¿Vas a cuidarme o qué?

ME HABÍA CANSADO del acoso de Mario y de ninguna manera iba a pagarle todos los meses, de eso nada, así que hice algo de lo que no me sentía orgulloso. Pero no había marcha atrás. Igual que Sal, todo lo que podía hacer era reescribir algo bueno de lo que no podía cambiar. Para desquitarme de Mario, usé su nombre y dirección para suscribirlo por un año a una revista porno gay que se llamaba *Blue Boy*. Añadí al carrito dos vibradores, un látigo y una máscara de cuero. Sabía que cuando el padre de Mario recibiera el paquete por correo, iba a perder los estribos. Quería que Mario sintiera la humillación. Quería que sintiera miedo y mortificación. Quería que su padre lo golpeara igual que él me había golpeado. Pero no esperaba que su padre lo mandara al hospital.

BD y yo estábamos fuera del Metropolitan Hospital.

—Yo no voy a entrar —me dijo BD.

—Debemos hacerlo.

—¿Por qué? Esto era lo que queríamos. Piensa en cuando nos molestaba a la hora del almuerzo, llamándonos espaldas mojadas.

—Tenemos que decirle algo.

—Él se llevó mi brazo.

—Pero lo recuperaste.

—Quería una tajada de nuestro trabajo.

—Y qué. Nosotros somos tan estafadores como él queriendo estafarnos.

—Y qué nada. Ve tú. Yo te espero aquí.

—Vamos, BD. Le debemos a Mario decirle por lo menos que lo sentimos.

Mario iba a cumplir 21 años y el sistema tenía que aprobarlo para que pudiera graduarse o expulsarlo de una vez porque era un estudiante súper mega viejo.

—Esta fue tu idea. No mía. Tú eres el de las ideas brillantes. Yo me quedo aquí. —Cruzó los brazos, se sentó en un banco y no había quién lo moviera—. Aquí me quedo.

Abrí la puerta del Metropolitan Hospital. El aire acondicionado al máximo me decía que el año escolar estaba a punto de terminar. La fecha de parto de Taína se acercaba.

—¿Eres pariente? Tienes que ser pariente para poder visitarlo —me dijo la mujer en el mostrador de horas de visita.

—Sí, soy de la familia —le dije.

—Tú no pareces italiano.

—Es mi primo lejano.

Ahí estaba yo para visitar al racista del vecindario diciendo que tenía mi misma sangre. La mujer me recorrió con la vista tan solo un instante y se encogió de hombros como diciendo que no era su problema.

—El número de la habitación está escrito aquí. —Señaló—. No puede hablar mucho, tiene la mandíbula rota —me advirtió.

Tomé la gran tarjeta de plástico azul con la palabra "VISITOR" en grandes letras negras y subí en el ascensor. Saqué los cómics que había escondido en mis pantalones porque me daba vergüenza decirle a BD que había comprado cómics para Mario. Le había comprado los que él siempre leía: las series de Sandman, Dark Knight y X-Men.

Cuando bajé del ascensor, no entré en la habitación. Me quedé afuera y me asomé por la puerta entreabierta. Mario parecía un muchacho que solo quería que lo dejaran en paz. Creo que sabía lo que estaban diciendo sobre él en la escuela. Por un rumor que yo inicié. Que el tipo duro Mario Depuma era gay y que, cuando su padre se enteró, lo mandó al hospital. Todos los muchachos se estaban burlando de él a sus espaldas. Mario tenía varias almohadas detrás de la espalda como apoyo. Tenía la mandíbula alambrada y el brazo enyesado, pero sus piernas estaban bien. Entré lentamente y, visiblemente adolorido e incómodo, Mario volteó la cabeza.

—¿Qué... carajo... quieres? —masculló.

—Nada. —Forcé una sonrisa.

—¿La... policía... te... atrapó?

—Casi, pero todavía no.

—¿Cuál... tu... estafa?

—No importa. Ya terminó.

—Qué... mal —dijo; algo le dolía porque tuvo que tomar aire rápidamente antes de continuar—. Lo siento.

—¿Por qué, hombre?

—Arruinar... lo... tuyo.

—Está bien. No arruinaste nada —le dije.

Me miró queriendo saber por qué yo estaba allí, pero yo no iba a decirle, de ninguna manera. Yo estaba allí porque era mi manera de pedir perdón. Yo no era mejor que él. Había explotado el temor a algo natural. Algo que no debería importar, pero en El Barrio sí importaba y yo sabía sin lugar a dudas que al padre de Mario le importaba.

Yo sé que nosotros los muchachos podemos ser crueles y que esa crueldad no siempre se demuestra con violencia física. Yo había lastimado a este tipo de manera tan cruel como si lo hubiera apuñalado.

—Escuela... ¿qué dicen... de mí en... escuela?

Con los dientes apretados a lo Clint Eastwood, pudo decir todo eso.

—Que eres un patán.

—¿Solo... eso?

—Sí. —Mentí.

—¿Seguro...?

—Sí, y que te lo mereces por ser tan patán.

Creo que se quedó contento con eso.

—Ok... bien...

—Sabes, Mario, nosotros solo somos dos muchachos atrapados en este lugar sin dinero. No conocemos otra cosa. Tú sabes, solo lo intentamos.

Le dejé los cómics al lado de la cama. Con más incomodidad y dolor, volteó la cabeza.

—Viejos... ya los leí.

Yo sabía que no los había leído porque el hombre de la tienda de cómics me dijo que acababan de salir ese día, pero no dije nada.

—Te veo en la escuela —le dije, y él apenas asintió con la cabeza.

Cuando ya estaba a punto de dirigirme a la puerta, gruñó:

—Espera... Taína. —Respiró profundo porque lo que fuera que iba a decir era mucho y le iba a doler—. Si la... ves... dile... que... quiero... hablar.

Ni en sueños iba yo a decirle a Taína.

—Claro —le dije.

—Ok.

Estaba exhausto. Los calmantes eran bombas de somnífero en su cuerpo. Lo miré por última vez y me di cuenta de que Mario tenía todo lo necesario para convertirse en un tipo honesto. Solo tenía que saber usar esas herramientas y rectificarse.

Verso 3

DEBÍ HABERME IMAGINADO que algo estaba mal cuando entré y no había música en nuestra casa. Mi madre me estaba esperando, cruzada de brazos al estilo de Mussolini.

—Todos esos libros sobre embarazo... —Mamá movió la cabeza en desaprobación—. Tú crees que yo soy estúpida. Una mujer sabe. —Había estado en mi cuarto rebuscando mis cosas. Levantó la mano como para golpearme, pero no lo hizo—. ¿Para qué querrías tú libros sobre embarazo? —Estaba que echaba chispas—. Yo sé que tú sigues yendo allá abajo. —Tenía los labios apretados como un niño que se rehúsa a abrir la boca en el dentista—. Esas mujeres viven en el segundo piso—. Estaba haciendo un esfuerzo sobrehumano para mantener la calma—. Cualquier delincuente pudo haber entrado por esa ventana. Voy a perder un día de trabajo, pero esto se acaba hoy, señorito.

No oír que mi padre reaccionara a toda esa gritería me daba a entender que él estaba de acuerdo con esto.

En el Metro North a Ossining, mamá repetía: "Esto lo hago por ti. Que el Señor me ayude. Esto lo hago por ti". Yo no necesitaba ver a ese hombre. Yo tenía mi verdad sobre cómo Taína había quedado embarazada. Peta Ponce tenía otro sentido, otra definición. Taína había elegido creer eso. Pero ya nada de eso importaba. Yo mismo había ido allí a buscar respuestas y salí sin nada, pero ahora no había más preguntas que contestar. Pero mamá no lo entendería. Mamá había planeado esto, porque la madre de ese hombre estaba esperando al lado del autobús que nos llevaría al complejo de la prisión. La madre de ese hombre hablaba con mamá como si Orlando Castillo fuera también su hijo. Yo no estaba nervioso. No estaba enojado con mamá por seguir repitiendo "Estoy perdiendo un día de trabajo, pero tú tienes que ver esto".

Después del viaje, entramos a la sala de visitas de la prisión. Sentí el golpe de todo ese ruido de fondo. Los prisioneros y sus familias murmurando, tosiendo, riendo, gritando, besándose, bebés llorando. Sin cadenas y sin esposas, Orlando Castillo entró en la sala escoltado por un guardia. Fácilmente podía pasar por blanco. Tenía el cabello rubio y ojos de gaviota azul claro. Era el puertorriqueño más blanco que yo había visto en mi vida. Estábamos sentados al lado de su madre y él nos echó un vistazo a mamá y a mí solo un segundo antes de sentarse lentamente frente a nosotros. Solo una mesa y un cristal en el medio nos separaba. No había necesidad de teléfonos, el cristal no era muy alto y tenía orificios. El hombre le sonrió a su madre y ella hizo lo propio. Él puso la mano en el cristal y ella lo hizo también. Yo no vi violencia en su rostro, solo felicidad de ver que su madre había venido a visitarlo. Miré a mamá a mi lado para decirle que quizás deberíamos dejarlos solos, podíamos interrogarlo más tarde. Pero los ojos de mi madre estaban perdidos en otro prisionero sentado como a dos familias de distancia de nosotros. Como si yo no existiera, como si hubiera olvidado la razón por la cual me arrastró todo el camino hasta llegar aquí, se levantó y caminó lentamente los pocos pasos hasta donde estaba sentada una mujer blanca molesta que visitaba a su esposo encarcelado al otro lado de la mesa.

—¿Bobby? —mamá susurró para sí—. ¿Eres tú? —dijo ya en voz más alta.

El hombre apartó los ojos de su esposa y miró a mamá, entrecerrando los ojos como si el sol le diera en plena cara.

—¡Coño, mami! —exclamó él en voz alta, en medio de todo aquel ruido blanco. Mi madre forzó una media sonrisa desconcertada—. Mimi, ¿qué tú hace' aquí? —preguntó él, aún más desconcertado que mi madre.

Todavía sentada, su esposa miró hacia mi madre, movió la cabeza furiosa y se chupó los dientes. Nunca antes se habían conocido, pero siempre habían sabido de la existencia de la otra.

—Esta es mi esposa, Angel.

A través del cristal, señaló a una mujer blanca, bajita y bonita sentada frente a él. Estaba vestida con mahones y una blusa manchada de café. Llevaba el cabello recogido en un moño sujetado como por cien horquillas. Usaba zapatos de plataforma para verse más alta. Mi madre, sintiéndose culpable, le extendió la mano.

—¿Por qué entonces no le das tú —La esposa ignoró la

mano de mi madre— su mugroso sándwich de pollo y su Coca-Cola?

Sin quitarle los ojos de encima al hombre, le dio al guardia una bolsa de papel medio llena para que la inspeccionara. El guardia vio lo que había dentro y la puso al lado de su esposo, que estaba sentado al otro lado de la mesa.

—Sí, sí, solo dile a Junito que venga a verme —le gritó Bobby a su esposa cuando esta comenzaba a alejarse—. Esto es mentira, yo sigo siendo su padre, coño, no importa cuántos años tenga.

Su esposa le sacó el dedo y siguió caminando. Entonces, él le sonrió a mi madre como si nada de esto hubiera pasado. Mi madre le devolvió la sonrisa por educación, pero no ocupó el asiento que ahora estaba vacío frente a él. Se quedó parada y, cuando él se levantó para estar a la misma altura que mi madre, un guardia le gritó "siéntate, carajo". Él se sentó y la nariz de mi madre comenzó a chorrear.

—¿Quieres un sándwich de pollo y una Coca-Cola, Bobby? Yo te lo traigo —le dijo mamá amablemente, todavía de pie.

—¿De verdad? —le dijo Bobby—. Eso sería genial. Tú sabe', la comida aquí es para pericos. Oye, tú no te ves para nada como yo me imaginaba que te verías.

—¿De verdad? —dijo mamá—. Tú te ves bien.

Pero yo sabía que eso no era lo que pensaba. Su cara estaba llena de baches como cráteres, y lo que fuera que había hecho para terminar finalmente en la cárcel estaba escrito en su semblante.

—Sí, tú sabe', yo todavía soy un pollo. Pero pensé que tú todavía te verías mejor.

Por la expresión de mamá, creo que ella tenía algo de esperanza de que quedara algo de lo que la había conquistado.

—¿Ese es tu hijo? —preguntó, y mamá solo asintió con la cabeza—. ¿Cómo te llamas?

—Le traeré un sándwich —le dije sin contestar—. 'Ta bien, Ma. —dije, y le di un poco de privacidad.

—Chévere —me dijo, contento—, y una Coca-Cola. De dieta, ¿okey? Y me puedes traer un café, con mucha azúcar, y galletas, papitas, pretzels y Snickers. —Se lamió los labios rápidamente—. Ah y un sándwich de ensalada de huevo para más tarde. ¿Puedes hacer eso?

Yo hice igual que mamá, solo asentí con la cabeza. Caminé a la parte posterior de la sala de visitas. Había seis máquinas expendedoras en hilera, una al lado de la otra, como si fueran seis guardias más. Una vendía galletas, otra café, otra sándwiches, otra sodas, otra papitas y barras de chocolate. Saqué algunos billetes que tenía y deslicé los dólares en cada máquina, en el vidrio podía captar de refilón lo que ocurría detrás de mí. Mi madre, todavía de pie, y Bobby "El pollo con la voz" Arroyo, sentado y hablando apresuradamente. Sus manos se movían rápido como si tuviera miedo de que mi madre se fuera antes de que terminara de hablar. De vez en cuando, mamá se movía un poco, pero no decía mucho. Yo veía que ella solo estaba escuchando, incluso entre todo ese ruido, yo sabía que esa conversación no conducía a nada. Había bolsas plásticas en un dispensador y coloqué en una todas las cosas que él pidió. Entonces, me reuní con ellos, y él seguía riendo y sonriendo y diciendo "Créeme, mami, mamita, la salsera, *my love*. Tienes que creerme. Lo juro". Yo no vi en el rostro de mamá nada de amor por él, solo amabilidad y quizás algunos recuerdos terribles que pasaban por su mente. Ella no había dicho una palabra y se había quedado de pie. Cuando le hice señas al guardia para que viniera a inspeccionar las cosas que había comprado, mi madre me dijo "Vámonos".

—Pero, ¿qué pasó con...? —le dije señalando a dos asientos de distancia donde el otro hombre hablaba amorosamente con su madre.

—Ta' bien. Ta' todo bien —dijo ella y miró a Bobby, que estaba contento cuando el guardia le entregó todas las cosas.

—¿Sabes, Bobby? Yo te perdono —le dijo mamá.

—¿Tú me perdonas? —dijo él, riéndose—. Coño, en serio, ¿tú me perdonas? Yo le puse emoción a tu vida aburrida y ¿tú me perdonas? Pal' carajo.

—Tú me maltrataste. Me hiciste cosas que yo no voy a repetir, pero te perdono, Bobby —repitió ella.

—Mierda, yo hice tu vida especial y tú dices que me perdonas. Esto se jodió. Tú eras tan aburrida cuando me conociste, y ahora dices que me perdonas. Mierda.

Mamá lo miró a los ojos, le sostuvo la mirada por un largo rato antes de decirle:

—Que Dios te cuide.

—No, 'pera, mami, *wait*, nena, 'pera —dijo desesperadamente cuando mamá se aclaró el goteo nasal y le dio la espalda.

—'Pera, lo siento, lo siento. Tú sabe' que todo el mundo estaba loco en esa época. Tú sabe', mami. —Mamá siguió caminando y yo la seguí. Su desesperación aumentó—.

Oye, ¿puedes volver a visitarme? —ambos lo oímos decir en voz alta—. Solo tráeme cosas, pasta de dientes, ropa, ¿*okey*, mami? ¿Mami? —gritó—. Solo algunas cosas, ¿*okey*? ¿*okey*? —Cuando se dio cuenta de que ella no iba a regresar, dijo a todo pulmón—: ¿Ves cómo me tratas? ¿Lo ves? Vete al carajo.

EN EL CAMINO de regreso, mi madre no dijo ni una palabra. Mantenía la vista fija al frente y, de vez en cuando, me miraba, pero nunca abrió la boca. Yo la dejé tranquila y recorrí el largo camino de regreso a la parada del metro en El Barrio, en la 125 y Park.

Cuando llegamos a casa, mi padre estaba cocinando. Nos preguntó qué tal nos había ido, pero mi madre no respondió y se fue directo a la habitación. Mi padre la siguió y tocó a la puerta.

—¿Todo está bien? —le preguntó. Pensé que iba a gritarle que la dejara en paz.

—Estoy bien —le dijo amablemente a través de la puerta cerrada—. Estoy bien.

Mi padre me miró preguntando qué había ocurrido. Yo le repetí que ella estaba bien. Volvió a preguntar: "¿Qué pasó?". Le dije que nada. Me apretó el hombro para dejarme saber que no me creía, pero, justo en ese momento, una de las ollas se estaba desbordando y él corrió de nuevo a la cocina.

El último perro que tenía que devolver estaba todavía corriendo por ahí. Le puse comida, pero no quiso comer, seguramente porque mi padre ya le habría dado comida.

Fui a mi habitación y miré algunos de mis libros. No podía leer y los puse a un lado. Pensé en Peta Ponce, en las dos palomas convirtiéndose en ángeles y peleándose por ser el padre de Usmaíl. Pensé: ¿Por qué debo creer en una sola cosa?". El universo interno es tan amplio que hay cabida para creer en todo. Peta Ponce distorsionaba el tiempo para cambiar las definiciones y los significados con el fin de que las mujeres quebrantadas pudieran encontrar la paz. Yo también estaba en paz, porque la revolución sí ocurrió. Y el único que necesitaba esa definición era yo.

Escuché que golpeaban a mi puerta. Pensé que era papá porque mamá entraba sin tocar, pero era ella. No estaba llorando ni nada, y llevaba puestas las pantallas que yo le había comprado. Su rostro era dulce y amable, expresiones que solo mostraba en público. Me pidió permiso para sentarse en mi cama. Me reí un poco y le dije:

—Claro, si tú la compraste.

—Yo no hablaba en serio cuando decía pa' Lincoln —me dijo con dulzura—. Yo nunca te dejaría en ese hospital. —Eso me puso contento porque siempre pensé que podría hacerlo—. Pero, si te hubiera dejado, te visitaría todos los días.

Ella se conocía bien, porque cuando mamá está enojada, es capaz de cualquier cosa. Dios te libre de llegar a dudar de una puertorriqueña.

—Ma —le dije, pero no me dejó decir nada más después de eso.

Me preguntó si yo echaba de menos no haber tenido hermanos. No contesté porque ella quería decirme cosas de las que nunca había hablado y de las que nunca más volvería a hablar.

—¿A ti te gusta esa muchacha? Una madre sabe.

—Sip —le dije—. Ella se parece a ti, creo.

—Los hijos son como los padres y si Taína es como su madre, ella...

—¿Es talentosa? Taína tiene talento. Ella canta, igual que su madre.

—Bueno, pero yo no me refería a eso. —La nariz de mamá comenzó otra vez a gotear—. Yo conozco a Inelda. Ella está loca.

—Todos estamos locos, ma. El mundo entero está loco.

Mamá apretó los labios y asintió con la cabeza.

—Ok, pero hay locos y hay locos —dijo, excusándose por no estar tan loca como la madre de Taína o como el resto del mundo—. Yo no estaba loca. Yo solo quería ayudar a mi amiga. Tú sabes, compensarla por no haber estado ahí cuando ella quería cantar. Tú sabes, por haberla dejado plantada por ese... estúpido músico. —Mi madre me miró. Yo estaba triste y ella sabía que yo estaba triste, y ella también estaba triste—. Pero es más que eso —dijo mamá muy rápido, como si necesitara sacárselo del cuerpo antes de que se arrepintiera—. Yo no quería que tu bajaras allá porque Inelda lo hizo. Justo después de tener a Taína ella se lo hizo. Y yo la acompañé. Yo no le dije que no lo hiciera. Yo fui con ella. Yo sabía a dónde ir porque yo lo había hecho también, tú sabe'. —Mamá no levantaba la vista del piso—. A nosotras nos criaron... —Tragó y siguió con la mitad de la oración—. Puerto Rico estaba lleno de mujeres que sabían sobre la operación y es difícil sacudirte cuando empieza a parecer que no es nada. —En ese momento, esa *palabra* se quedó flotando en la habitación de la misma manera que el vapor parece que nunca va a desaparecer cuando la humedad es tan espesa que se siente como una pared—. A mí no me afectó de la misma forma que a Inelda. Cuando ella empezó a hablar con las paredes, yo la llevé a ver a Peta Ponce. Ella me había ayudado después que yo lo hice, después que tu naciste. Yo lo hice. —Se quedó inmóvil, sentada sobre mi cama. Mamá respiraba hondo, pero no estaba llorando todavía, aunque yo lo veía venir—. Yo no les dije a los ancianos —me dijo, y yo sabía por qué: la habrían expulsado de la iglesia.

No me miraba, miraba al piso, donde yo había tirado mis medias. No dijo nada por varios interminables segundos, solo estaba ahí sentada.

—Tu padre lo sabe, por supuesto. —Finalmente encontró mis ojos—. Me preocupaba tener más hijos y que él no duraba en ningún trabajo. Tú sabe', yo estaba asustada. Después que tú naciste, yo estaba asustada. —Y yo sabía que se había apagado. No hacía falta que la presionara.

—Ma, está bien —le dije.

La abracé. Sus ojos estaban llenos de lágrimas y no podía hablar. Pero estaba bien. No necesitaba decir nada más ni a mí, ni a nadie.

—Ma —susurré—, Peta Ponce está abajo.

Verso 4

TAÍNA ESTABA EN mi casa. Mi padre era muy amable con ella. A cada momento, le preguntaba si estaba cómoda, si necesitaba agua, si quería algo de comer. Y me hacía feliz ver que mi padre también se había enamorado de Taína, a su manera. Mi padre había cocinado un montón de platos exquisitos de Puerto Rico y de Ecuador. Estaban en la mesa esperando que Peta Ponce, Doña Flores y mi madre salieran del baño, porque ahí era, según decía Peta Ponce, que los espíritus querían que las mujeres hablaran sobre sus asuntos.

Me senté al lado de Taína en la sala. El último perro, del que no había podido encontrar el aviso de recompensa para salvarme la vida, estaba ladrando feliz.

Las mujeres estaban susurrando en el baño.

Podíamos oírlas murmurar sobre el pasado.

Mi padre, Taína y yo intentábamos no prestar atención a lo que ocurría en el baño. En su inglés chapurreado, papá le preguntó a Taína si se sentía bien, si quería comer algo.

—Sí, muchas gracias —contestó ella en español con unos modales que no le conocía.

Mi padre fue a prepararle un plato a Taína, pero solo para ella, el resto de nosotros tendríamos que esperar a que terminara la misa. Y Taína me tomó la mano.

—Me gustó tu estúpida historia. Era estúpida, pero bonita —me dijo Taína.

—¿Qué historia? —preguntó mi padre y luego recapacitó—. Ah, sí, la revolución en el cuerpo. Sí, claro.

Tosió, porque él nunca la creyó. Él era libre de entenderlo de la forma que quisiera.

—Yo siempre supe que me estabas mirando. —Arrimó su rostro muy cerca del mío y me susurró al oído—: Pero te dejé hacerlo.

Doña Flores y mi madre estaban gritándose cosas de su juventud, asuntos y eventos que apenas podíamos descifrar. Se escuchaban golpes en las paredes, gritos y voces en inglés, en español y en *espanglish* porque oí *"Yo te trasteo"*, queriendo decir *"I trust you"*, o confío en ti.

La gritería que venía del baño era demasiado para mi padre. Dejó escapar un suspiro de incomodidad porque todo esto había sido idea de mi madre.

—Pa, suena peor de lo que es.

—¿Eso crees? —Hizo una morisqueta.

—Ok, así es como mamá brega con su situación mental. Esa es su psiquiatra.

—¿Dónde están esos espíritus? —El tono burlón de mi padre se estaba volviendo cada vez más impaciente.

Él no había visto ningún fantasma, solo una enana

negra con una joroba, que encerró a su esposa y a la amiga de esta en el baño.

—Están todos alrededor nuestro. —La voz de Taína estaba impregnada de sarcasmo—. En este momento le están haciendo muecas y usted ni siquiera lo sabe, señor. —Ella se río, pero mi padre no le vio la gracia al comentario.

—Bah. —Mi padre había visto suficiente. Se dirigió a donde estaba el perrito y le puso la correa. —Volveré cuando esto termine.

Me quedé solo con Taína. Su vientre estaba casi listo para liberar a Usmaíl. Deseaba besarla. Ella lo sabía, pero era agradable solo estar sentado con ella en la sala de mi casa.

—¿Así que sabías que yo te miraba?

—Claro, idiota.

—Tú sabes. —En ese momento sentí que podía decirle todo—. Nunca lo he hecho. ¿Tú... tú sabes a qué me refiero? Nunca lo he hecho. Tú sabes...

—Yo sé que das los peores sobos de pies. Los pies me dolían más después que antes de tu estúpido masaje. Carajo, eres de lo peor —me dijo.

Los gritos cesaron. Oímos la llave del agua que se abría y la cortina de la ducha. Oímos a Peta Ponce pronunciar palabras que no podíamos descifrar.

Cuando todo terminó, tres mujeres salieron del baño, mojadas y nuevas. Todas entraron en la habitación de mamá para cambiarse de ropa y comer.

Peta Ponce les dijo a mi madre y a Doña Flores que sus heridas eran profundas y que sería una buena idea buscar la ayuda de un experto en salud mental. Peta Ponce dijo que no se dejaran engañar por la generosidad que habían mostrado los espíritus hoy, que las cosas podrían venirse abajo en cualquier momento; así que debían seguir buscando ayuda. Mi madre me miró porque ahora era su turno de ver a un loquero.

—Yo iré contigo, Ma —le dije, y ella solo hizo una mueca.

Entonces, Peta Ponce comenzó a reírse. Era una risa constante, como una cotorra. Ninguno de nosotros sabíamos qué hacer, así que nos reímos también. Todos estábamos riéndonos, con un montón de comida sin tocar frente a nosotros, esperando a mi padre para poder comer todos juntos. Peta Ponce reía y el teléfono sonó. Éramos una de las últimas familias en El Barrio con una línea de teléfono fija y Peta Ponce señaló al teléfono. Mi madre contestó.

Habían arrestado a mi padre.

Verso 5

MI PADRE SE había aventurado al Upper East Side. Alguien había reconocido al perro. Yo tenía que confesar para que lo liberaran. Me llevaron a un cuarto para interrogarme. Los policías me esposaron, aun cuando no había a dónde ir. Estaba rodeado por unos veinte policías parados alrededor de un niño. Se felicitaban entre ellos. Se tomaron fotos conmigo. "Este es el tipo que estábamos buscando. Este es el tipo que se robaba todos esos perros. Lo atrapamos". Y ninguno de esos policías salía a combatir el verdadero crimen. Se quedaban todos ahí como si yo fuera un poderoso superhéroe con capa y necesitara máxima seguridad.

La gente cuyos perros yo había tomado prestados eran en su mayoría poderosas mujeres del Upper East Side. Eran poderosas porque estaban casadas con hombres poderosos del Upper East Side. Estas mujeres no trabajaban de verdad. Solo asistían a fiestas de la sociedad neoyorquina. También se aseguraron de que toda la ciudad se enterara de mi delito. Las cámaras de televisión, el *New York Times* había enviado reporteros a cubrir la historia. El *New York*

Post implicó a mi padre en el asunto con el titular "Hijo de perra". Había reporteros y fotoperiodistas por todas partes. Entonces, entró un detective blanco y corpulento. Era barrigón y olía a sudor.

—Julio, tu madre está afuera y quería que tuvieras esto.

Me mostró la Biblia de mi madre. Siempre pensé que las historias eran de primera clase, pero yo creía en lo que quería creer, y no era en lo que estaba escrito en ese libro.

—Gracias —le dije al detective barrigón.

El detective se veía desconcertado, como si no se supusiera que yo actuara o hablara así. Entonces, puso un cuchillo sobre la mesa.

—¿Este cuchillo es tuyo? —me preguntó, aunque debía saberlo porque seguro habían registrado mi habitación.

—Sí, ese es mi cuchillo.

—¿Por qué llevas un cuchillo?

—Para cortar las correas.

—Pero las correas son de metal. Necesitas pinzas cortaalambres. ¿Para qué llevas un cuchillo? ¿Para matar gente?

—No, las correas que compran las mujeres ricas son caras, hechas de cuero fino. Se pueden cortar fácilmente con un simple cuchillo de cocina.

Que era lo que teníamos allí. Hizo un sonido fingido para indicar que eso no tenía sentido.

—¿Cuántos perros robaste?

—Ninguno —dije, educadamente—. Todos los devolví.

—Eres un malcriado —Se dio por vencido—. Tendrás lo que te mereces.

Abandonó la habitación. Los demás policías nunca me hicieron preguntas. Seguían allí parados, como si estuvieran esperando refuerzos. Poco después, entró otro policía y dijo que tenían que trasladarme. Al pasar por el vestíbulo de la estación, vi al detective barrigón. Su objetivo no era atraparme, sino complacer a todas esas mujeres ricas. Les aseguró que yo cumpliría años de cárcel. Que dependía de ellas presentar cargos. Ellas, por su parte, le prometieron que les contarían a sus esposos sobre el excelente trabajo que él había hecho al capturar al "Dogkid", al "Niño de los perros" que tanto revuelo y destrucción había causado en sus vidas. Los policías me llevaron afuera. Una turba me esperaba. Intenté infructuosamente encontrar a mis padres o a Taína entre la multitud. Solo oía gritos, crueldad por aquí, crueldad por allá. Esperé que llegara la furgoneta de la policía para llevarme a The Tombs. Un reportero, a quien reconocí de la televisión, se me acercó lo suficiente como para hacerme una pregunta.

—¿Cómo te sientes acerca de tu madre y de tu padre?

—Estoy muy orgullo de ellos.

—Entonces, ¿por qué lo hiciste?

—Para ayudar. Para ayudar a las personas que quiero.

El reportero me miró como si eso no fuera lo que se suponía que dijera. La furgoneta de la policía llegó y me metieron dentro. A la entrada de The Tombs había otra turba.

—Miserable pedazo de mierda. —Una mujer medio desnuda con un cartel de PETA me tiró a la cara una chuleta de cerdo.

Pensé que eso era un desperdicio de comida.

Me pusieron en una habitación grande, una especie de salita de tribunal, y me dijeron que esperara allí con otros diez policías que no tenían nada mejor que hacer que custodiar a un adolescente esposado. Las mujeres ricas cuyos perros yo había tomado prestados esperaban fuera de la sala. Algunas incluso estaban fumando, haciendo caso omiso del letrero, y los policías las dejaban. Estas mujeres adineradas estaban furiosas. Decían que yo había cometido un vil atropello sin su consentimiento. Las había desinformado. Las había coaccionado. Las había engañado. Les había dado información falsa. Yo había provocado a estas mujeres acaudaladas cicatrices emocionales de por vida. Nunca volverían a ser las mismas. Yo las había humillado, las había avergonzado y sus heridas eran tan profundas que no podrían continuar viviendo sus vidas de la misma manera que hasta ahora. Las mujeres entraron en la salita. Yo esperaba ver también a mis padres y a Taína, pero la policía no los dejó entrar. La sala era más grande con los bancos donde se sentaron las mujeres ricas. Yo estaba sentado, todavía esposado, al lado de la Srta. Cahill, a quien estaba feliz de ver. Al igual que todo Nueva York, ella había oído hablar de "The Dogkid". Se había tomado el día libre en la escuela para acudir en mi defensa. La Srta. Cahill me dijo que no tuviera miedo, que ella iba a hablar en mi favor. Si estas mujeres no presentaban cargos, yo quedaría libre. Me dijo que la dejara hablar a ella, era cuestión de hacerles ver a estas mujeres el otro lado de la moneda. Yo estaba seguro de que la Srta. Cahill había hecho esto por otros estudiantes, porque el detective barrigón quiso hablar con las mujeres primero.

—No pierdan de vista los asuntos importantes —les dijo—. Limítense a los hechos. No tengan en cuenta cosas que evoquen simpatía o emociones. Dejen las indulgencias y la compasión al jurado. Si presentan cargos, la sociedad llevará a este hombre... no se equivoquen, es un hombre, no un niño, un hombre... Llevará a este hombre a juicio.

Las mujeres asintieron con la cabeza y el detective barrigón le cedió la palabra a la Srta. Cahill, llamándola Megan, así que de seguro la conocía.

—Los hechos son que ustedes perdieron algo que siempre pueden recuperar y de lo que tienen bastante: su riqueza —les dijo—. Todos sus perros regresaron sanos y salvos.

Las mujeres seguían furiosas. Pero, cuando la Srta. Cahill comenzó a hablar con el toque de un poeta, sus expresiones cambiaron.

—Este es un muchacho brillante, mucho más extraordinario que cualquiera de nosotros en esta habitación. —Algunas de las mujeres sacudieron sus cabezas—. Julio Colmiñares nunca comenzó en la línea de salida, como ustedes o como yo. Él empezó mucho más atrás. Sin embargo —La Srta. Cahill hurgó en su cartera y sacó mi boleta de calificaciones— tiene las calificaciones para entrar en la universidad. —Hizo circular mi boleta. Algunas mujeres la miraron y asintieron con la cabeza antes de pasarla adelante—. Si Julio Colmiñares se salva, nos salva a todos. —Caminó hasta donde estaban sentadas las mujeres—. Si pretendemos que nuestra sociedad, su ciudad, crezca, entonces empezamos aquí, con este muchacho. Ustedes, dulces damas, son mujeres inteligentes, moldeadas por una

cultura humanista que cree firmemente en que la estética
es importante. De modo que, en el Met, en el MoMa, en el
Lincoln Center, en Central Park, en el club de jazz, en el
cine, en la novela, en el poema, en todas esas cosas no solo
hay belleza, sino trascendencia. Pero, ¿qué significa encontrar trascendencia en lo hermoso si no pueden encontrarla
en el ustedes para perdonar? —Hizo una pausa—. Así que,
dulces damas, yo presento ante ustedes a este muchacho y
les ruego que nos lo devuelvan.

Todas las mujeres presentaron cargos. Me leyeron
mis derechos. Me ficharon. Mamá vació su bota y pagó la
fianza. Me fui a casa y esperé el juicio.

EL ÚLTIMO LIBRO DE JULIO:

USMAÍL

Siempre que se hace una historia se habla de un viejo, de un
niño o de sí.

—SILVIO RODRÍGUEZ

Coda

ESA NOCHE NO pude dormir. Mientras mis padres dormían como troncos, algo me decía que me levantara de la cama y mirara por la ventana. Desde el décimo piso, mirando hacia abajo, vi un demonio, un diablo parado al lado del buzón. El diablo me hacía señas frenéticamente para que bajara, que dejara mi cama y lo acompañara esa noche. Salvador estaba todo emperifollado con su disfraz multicolor, la máscara con cuernos, el mameluco, la capa y todo lo demás. Yo estaba contento de ver al Vejigante.

Me escabullí. Tomé el ascensor, bajé y fui al buzón a hacerle compañía.

—¿Dónde ha estado? —le pregunté.

—Visitando tumbas —me contestó detrás de la máscara.

Supuse que había cambiado de parecer y había ido a pedir perdón a aquellos que había lastimado, aun cuando eso no los traería de vuelta ni cambiaría el pasado.

—Es *labor day*, papo —anunció, quitándose la máscara.

—Estamos en junio —le contesté.

—No, no el Día del trabajo, el día del parto de Taína.

Me dio un vuelco el corazón.

—¿Qué, qué hospital? ¿Dónde? —pregunté, listo para seguir al Vejigante a cualquier parte.

Mi arresto me había hecho olvidar las cosas importantes.

—¿Qué hospital, Sal? —Aunque mis padres me mataran, yo estaba decidido a perder clases y quedarme con ella hasta que naciera Usmaíl.

—Peta Ponce está con ella. Ella dice que los médicos tratan a las embarazadas como si estuvieran enfermas y no como si fuera la cosa más natural del mundo.

—¿Va a dar a luz en la casa?

Ya yo iba a cruzar la calle y dirigirme a la casa de Taína, donde esperaba que Peta Ponce estuviera a su lado. Salvador vio que yo estaba muy ansioso.

—*Relax*, papo. Relájate y sígueme.

La casita era una cabaña construida en un lote vacante en la Calle 111 y la Avenida Madison. Alguna vez hubo allí una tienda de zapatos Buster Brown. Muchos de los inmigrantes, lo mismo puertorriqueños que de otros países, desde la década de los cuarenta hasta la de los noventa, separaban los zapatos en *lay-away*. Al lado de esa tienda había una botánica y, junto a esta, un restaurante familiar con un letrero en español: "Si tu esposa no sabe cocinar, no te divorcies. Tráela a comer". Era lo único que quedaba de una época en la cual los inmigrantes llegaron soñando que sus hijos contratarían a los hombres para quienes trabajaban sus padres, soñando que sus hijas vivirían en las casas que sus madres limpiaban. Todo lo que quedaba de esa época, era la casita.

El lote vacío estaba limpio, despejado y cercado. En ese lugar erigieron firme y estable la cabaña. La pintaron de colores brillantes. Tenía cuatro ventanas y un balcón hasta la mitad de la entrada principal. En la puerta, un letrero colgaba con la frase "Un pedacito de Puerto Rico". La casita estaba fabricada totalmente en madera, con el techo de zinc. Las ventanas no ajustaban completamente en el marco, pero cumplían su propósito de abrir y cerrar para dejar entrar el aire y la luz del sol. Afuera, había un cuidado jardín, con hileras de hierbas y vegetales germinados. Había gallos y pollos que corrían junto a perros y gatos que mordían la albahaca y la hierbabuena. Fuera del cercado, en la acera, un mapache dormía en un poste del alumbrado, acurrucado dentro de un gran hueco esculpido en el poste de metal por años de óxido.

El anciano que había construido la casita vestía una guayabera blanca y uno de esos sombreros de jíbaro que llamaban *pava*. Era pobre y nunca le había hecho daño a nadie. Santos Malánguez era su nombre y conocía a Peta Ponce desde que era niño allá en la Isla.

La casita no tenía instalación de plomería, pero estaba limpia. Había un sofá-cama, un pequeño gavetero y una bañera en una esquina. Las paredes estaban decoradas con afiches de diferentes pueblos de Puerto Rico: Cabo Rojo, Fajardo, Bayamón, Mayagüez, Carolina, Loíza Aldea, Ponce, Aguadilla, Santurce, Guayama, la isla de Vieques y su pequeña hermana Culebra, y, por supuesto, San Juan, la capital. Había un mapa sucio del sistema de *subway* de Nueva York, donde alguien había garabateado: "El barrio más grande de Puerto Rico: Nueva Yol".

Taína estaba dentro inhalando y exhalando. Peta Ponce le había dado instrucciones de mantenerse caminando, dando vueltas por la diminuta casita.

—Deberíamos estar en un hospital —le dije a Peta Ponce.

—No —respondió ella con firmeza—. Aquí, aquí está perfecto.

—¡Carajo! Esto es una mierda. —Taína maldecía entre resuellos y crujir de dientes. Peta Ponce le preguntó si quería volver a salir para tomar aire fresco—. Coño, sí —gimió, a medida que el dolor empeoraba.

—¿Dónde está Doña Flores? —le pregunté a Peta Ponce.

Peta Ponce me explicó que tal como cuando todo esto comenzó Inelda estaba dormida, tenía que estar dormida cuando terminara.

El clima estaba precioso. La ciudad de Nueva York estaba apacible, como si esperara algo maravilloso.

—Peta —dijo Taína, respirando hondo—, creo que tengo que acostarme.

Ayudé a Peta Ponce a traer a Taína de vuelta dentro de la casita.

Salvador me ayudó a abrir el sofá-cama. Una vez abierto, ocupaba la mayor parte del espacio dentro de la casita. Peta Ponce buscó en las gavetas y encontró sábanas limpias y una almohada y preparó la cama. Ayudé a

Peta Ponce a acostar a Taína. Sus ojos estaban hinchados y sus gemidos eran cada vez más fuertes y prolongados. Peta Ponce miró un reloj de hombre que llevaba en su muñeca.

—M'ija, tu' dolores están llegando ma' y ma' cerca —dijo y le dio a beber agua a Taína.

Con el sofá-cama abierto y la bañera en la esquina, la casita estaba abarrotada.

—¡Afuera! ¡Afuera! —Peta Ponce nos ordenó a Salvador y a mí.

—'Pera, Salvador —Peta Ponce le dijo al Vejigante—, vete a buscar a Willie.

Sal se fue a buscar a quien le decía.

Taína estaba sudando.

—Y tú... —Me ordenó que fuera a la bodega a comprar una botella de Coca-Cola y un galón de leche, que los vaciara y se los trajera.

Yo salí corriendo a hacer lo que me pedía.

Abrí la cerca, crucé la calle y entré en la bodega que abría las 24 horas. Cuando regresé, le di la botella a Peta Ponce, quien me dijo que la vaciara.

Yo abrí la botella, saqué la mano por la diminuta ventana y derramé la Coca-Cola en el suelo. Entonces, le di la botella vacía a Peta Ponce.

—Mira, así, ¿ve'? —Se colocó la botella en la boca y sopló en ella como si fuera una flauta—. Así, ¿ve'? Así, m'ija. —Le dio la botella a Taína, quien comenzó a soplar dentro.

La botella comenzó a silbar. El silbido era reconfortante y parecía mantener un ritmo constante.

Volví a salir para darle suficiente espacio a Peta Ponce.

—Mira, m'ijo —me dijo Peta Ponce a través de la ventana abierta.

Me indicó que llenara de agua un tambor de metal que estaba al lado de la cerca, y encendiera un fuego debajo. Yo no tenía una llave inglesa para abrir la boca de incendio de la acera, ni un encendedor, ni nada.

Peta Ponce lo sabía, porque fue a buscar su cartera negra y la vació. Tenía una cruz, una estampita de un santo, un cepillo de dientes, *kleenex*, condones, un celular, hierbas, mentas y un tabaco. Rebuscó todo hasta que encontró un encendedor y una llave inglesa. Me los dio a través de la ventana.

Abrí el hidrante de la acera de enfrente con la llave inglesa. Vacié el galón de leche y llené el tambor de metal que había colocado sobre grandes rocas sólidas para poder ponerle debajo pedazos de madera que había por todo el jardín. Encendí el fuego. Calenté el agua y entonces, cuando la temperatura llegó a su punto, Peta Ponce me dijo que trasladara el agua caliente a la bañera. Llené el galón de leche, lo llevé dentro de la casita y lo vacié en la bañera. Después de varios viajes, la bañera se llenó de agua caliente. Peta Ponce le quitó la botella en la que la sudorosa Taína había estado soplando. Volví a entrar en la casita con Peta Ponce y la ayudé a levantar a Taína del sofá-cama. Peta Ponce la ayudó a desvestirse. Ver a Taína desnuda por primera vez no me impresionó. Solo quería que ya no tuviera más dolor.

Peta Ponce y yo metimos suavemente el cuerpo desnudo de Taína en la bañera.

—¡Coño, está hirviendo! —gritó Taína, y se le salían las lágrimas.

—Mejor, m'ija. —Peta Ponce sonaba como nuestros padres.

—Está muy caliente, Julio —imploraba Taína, como si yo pudiera revocar el método de Peta Ponce—. Está muy caliente, coño, ¡está caliente!

Lloraba. Aunque me dolía, me quedé callado. Yo confiaba en Peta Ponce, igual que mi madre había confiado en ella, igual que todas esas otras mujeres habían confiado en ella.

—Está bien, Taína —le dije—. Peta Ponce sabe lo que hace.

A Taína poco le importaba y seguía maldiciendo de dolor. Se sentó erguida en la bañera. Peta Ponce la hizo beber más agua. Le dijo que abriera las piernas, más, más, más. Taína seguía gritando que el agua estaba caliente. Peta Ponce repetía:

—Abre más las piernas, m'ija, más, más, para que el calor del agua penetre en tu interior. Relaja tu cuerpo, m'ija. Deja que el agua caliente abra la puerta para que Usmaíl pase.

Los dolores se hacían más fuertes.

Las contracciones, más frecuentes, y Taína gritaba.

—Me voy a morir, carajo, ¡me voy a morir!

—Nadie se muere, mi bella.

Peta Ponce le aseguró a Taína que muchas alegaban ser comadronas, pero solo hacían ángeles. "Yo no traigo ángeles al mundo", le dijo.

Taína seguía maldiciendo.

—¡Puñeta, me muero!

—Mea, mea —le repetía Peta Ponce a Taína—. ¿Puedes orinar? Orina en el agua, m'ija. Sería bueno si pudieras orinar —dijo Peta Ponce.

Taína gemía entre lágrimas y respiraciones. Tardó un poco.

Orinó. Junto con la orina salían de sus entrañas hilos de sangre. Peta Ponce dijo que era algo bueno. Su cuello uterino se estaba dilatando. Usmaíl estaba al otro lado. Peta Ponce me dijo que buscase en el jardín una pequeña rama, quizás de alguna de las tantas que se habían caído de los árboles. Cuando se la di, la sumergió en agua para limpiarla y luego la colocó entre los labios de Taína para que la mordiese y se calmase.

Ayudé entonces a Peta Ponce a sacar a Taína de la bañera. Ella la secó y yo ayudé a acostarla otra vez en el sofá-cama. Vacié la bañera, entrando y saliendo una vez más de la casita, llenando y vaciando el galón de leche plástico. Y otra vez volví a reunirme con Peta Ponce y con Taína dentro de la casita. Oí la puerta de la cerca cerrarse de golpe.

Salvador y un hombre con barba rizada y ojos caídos entraron al jardín.

—Peta Ponce, aquí estoy.

Desde afuera, en el jardín:

—Soy yo, Willie, ¿me necesita, Peta? —Con respeto, le hizo una reverencia a la anciana.

—No sé, ¿quizá?

Peta Ponce le dijo a Willie que estuviera listo por si hacía falta, que este nacimiento estaba atascado en el tiempo.

—¿Qué necesita, Doña Ponce? —preguntó Willie.

—Tengo de todo. Tengo agujas grandes también. Tengo el equivalente en la calle del Stadol. Tengo calmantes bien fuertes o cualquier otra cosa que necesite para adormecerla.

Peta Ponce le contestó que todo parto tiene un principio y un final. El de Taína estaba atascado en el medio.

—Así que quédate por ahí, ¿ok, Willie?

—Estaré afuera —dijo tranquilamente Willie, y eso me dio a entender que Peta Ponce y ese señor habían hecho esto muchas veces.

Sal también esperó en silencio afuera, junto a Willie.

—Suave, suave, m'ija. Mira. —Peta Ponce le peinaba suavemente el cabello a Taína y le dijo—: Si el dolor se hace insoportable, puede que tenga que darte algunas drogas. Inyectarte, ¿ok, m'ija? La aguja te va a doler más, pero después no vas a sentir nada. Pero voy a esperar, solo un poco más, m'ija.

—No esperes. Me importa un carajo —dijo Taína, aún con la rama en la boca. Solo quería que el dolor terminara—. Dámela, dame la inyección. Dame las drogas.

Pero Peta Ponce no lo hizo. Me ordenó que esperara afuera. Y, entonces, con una voz relajante que no parecía que pudiera salir de su cuerpo deforme, Peta Ponce le susurró a Taína: "Esta casita, yo la construí junto con mi hermano Santos Malánguez hace muchos años. Esta casita era el último eslabón de una época en la cual los viejos, como yo, éramos jóvenes. Llegamos a un país nuevo, a estas ciudades nuevas en días fríos. Pero, en el verano, nos reuníamos en casitas. Las construimos en solares baldíos para celebrar y bailar. El nacimiento de tu hijo es una celebración". Besó el rostro sudoroso de Taína. "Este bohío es donde nacían los taínos. Usmaíl tiene que nacer aquí también, m'ija". Durante uno de los gritos de maldiciones más altos de Taína, una cabecita cubierta de pelusa negra se asomó a su cuello uterino.

—Ven —le ordenó Peta Ponce a Usmaíl—. Ven, sal, que el mundo es bello. —Pero no se movió más.

Salvador, Willie y yo mirábamos por las ventanas desde afuera de la casita. Peta Ponce me pidió solo a mí que entrara. La ayudé a levantar a Taína de la cama. La sostuvimos. Peta Ponce le indicó a Taína que se pusiera en cuclillas. Que se parara con las piernas separadas. "Para que la gravedad te ayude, m'ija". Yo sostenía a Taína para que no perdiera el equilibrio y se fuera de lado.

Taína se acuclilló y Peta Ponce me dijo que me quedara detrás de ella y la agarrara fuerte. Sostuve a Taína acuclillada desde atrás, con los brazos rodeando su preñada cintura. Entonces, Peta Ponce soltó a Taína y se acostó en el piso, boca arriba, mirando hacia arriba el cuello uterino de Taína. Desde el piso y mirando desde abajo la matriz de Taína, Peta Ponce extendió ambas manos, colocando cada una en cada lado entre las piernas de Taína y ensanchó el canal. Entonces, con una delicadeza infinita, Peta Ponce agarró la frágil coronilla y con la más certera habilidad y confianza sacó a la luz del día la cabecita de Usmaíl.

—Así, así, muy bien, muy bien —Peta Ponce le dijo a Usmaíl.

Todavía acostada en el piso, mirando desde abajo la matriz de Taína, sostuvo la cabeza del bebé y ayudó a salir al resto del cuerpecito de Usmaíl cubierto por la sangre de

Taína. Peta Ponce cortó con sus dientes el cordón umbilical y con un último pujo y una maldición a gritos, Taína expulsó la placenta.

Afuera.

Willie oyó al bebé. Rápidamente sacó su navaja y encendedor. Pasó la hoja por la llama y le dio la navaja caliente a Peta Ponce por la ventana. Peta desinfectó el cordón que había liberado con sus dientes y lo amarró con la punta de la navaja. Con un paño húmedo, limpió un poquito a Usmaíl y le entregó el bebé a Taína.

—Bien hecho, m'ija. 'Tá ma' bella tu nena —le dijo a Taína, quien tomó a su hija entre sus brazos y sonrió, rio, lloró y volvió a reír.

Afuera, los perros ladraban, los gatos maullaban, los mapaches hurgaban en la basura, los halcones de la ciudad volaban, las ratas y cucarachas merodeaban, las putas chuleaban, los ladrones robaban, los traficantes traficaban, los policías hacían sus rondas, los *yuppies* bailaban, comían y bebían; los inmigrantes trabajaban y trabajaban y trabajaban; los padres trabajaban; las madres trabajaban; los niños iban a la escuela. Todo en El Barrio era igual que cualquier otra noche.

Usmaíl había llegado al alba. Salvador Negrón, el Capeman, me hizo una reverencia, antes de partir a su casa y lejos de la luz. Hizo una pausa por un instante, como si fuera a decirme algo, pero retomó la marcha. Peta Ponce se secó el sudor de las cejas y susurró para sí misma o a los espíritus:

—Igual que cuando nacemos hay personas esperándonos, habrá personas esperándonos cuando muramos.

Y, por primera vez esa noche, sus ojos se cruzaron con los míos y me dijo:

—Es más fácil criar niños buenos que reparar adultos quebrantados.

Yo la comprendí. Usmaíl era el regalo más grande que el universo interno podía haberle dado a Taína. Nunca olvidaré la primera vez que Usmaíl vio la luz del día, cómo lloró tan alto como para dejarle saber al universo interno que había llegado, como si quisiera que todos los átomos del universo oyeran que la revolución había tenido éxito. Era una revolución, una que no se traicionaría a sí misma. Usmaíl lloró y lloró y Taína tomó más agua, se comió un sándwich, le dio el pecho a Usmaíl y después, madre e hija se estiraron, bostezaron y, exhaustas, cayeron en un sueño interno profundo.

LAS TRES MUJERES se convirtieron en un cuadro agradable y deseado en El Barrio. Taína y su madre hablaban entre ellas y con cualquiera que quisiera ver a Usmaíl. Con quien quisiera ver a la bebé. Con frecuencia, se veían las mujeres en la calle, la madre apretando a la hija, la hija empujando el cochecito, haciendo las visitas necesarias al supermercado y al Check-O-Matic para los beneficios de asistencia social; pero también al cine, a una cafetería o a un salón de belleza. Las mujeres vivían entre un mar de gente común que hacía su mejor esfuerzo para salir adelante y parecía que, incluso entre la muchedumbre, nada borraba sus sonrisas. Ni siquiera los muchachos de la esquina pi-

tándole a Taína: "Mira, ¿to' eso es tuyo?". Taína los mandaría al carajo y seguiría empujando el cochecito. Tampoco
los chismes de las mujeres de la lavandería dirigidos a
Doña Flores.

En la escuela, Taína se sentaba junto con otras madres
adolescentes que hablaban de cosas para bebés en oferta especial o ropita de bebé o las tertulias típicas de *high school.*
Taína nunca se preocupó por la ropa, el maquillaje, la popularidad ni nada de eso. Al igual que su madre, sonreía
cuando le sonreían, como si su sonrisa dijera que no eras
su enemigo y que dependía de ti convertirte en su amigo.
Les agradaba a los muchachos, todos se enamoraban de
ella, y yo no era diferente. Y, como todos los demás, yo esperaba oír a Taína cantar.

ERA LA NOCHE de verano en la cual se registró la más potente lluvia de meteoritos en la historia de Nueva York.
Ni siquiera las luces podían opacar esas estrellas fugaces.
Sus rápidos destellos eran largos y prolongados como si
ángeles hípsters hubieran sido expulsados del cielo y lan-
zados a la tierra. Una ola de calor también ahogaba a la
ciudad y todos querían desahogarse y se apoderaron de las
calles.

Esa misma noche, Carlito's Café and Galleria, en la 107
y Lexington —propiedad de Eliana Godoy, una amable an-
dina de La Paz, Bolivia, que había inmigrado a El Barrio—,
era el sitio más chévere donde se podía estar. Ella había
bautizado el Café con el nombre de su padre y en las pare-

des se exhibían cuadros de artistas locales, pero todos siempre iban a Carlito's a escuchar música. Allí yo había oído a Lila Downs, Manu Chao, Susana Baca, Toto la Momposina. Pero esa noche, la noche de las estrellas fugaces, era la noche de Taína. Salvador nos instaló a mis padres y a mí en una mesa pequeña en una esquina. Mi madre estaba feliz, mi padre le tomaba la mano. El café estaba a medio llenar. Vi a Taína leyendo unas partituras, con un traje rojo ajustado, toda piernas y curvas; no parecía la madre de nadie. Ella me vio, se besó la mano y me lanzó el beso y volvió a lo suyo. Los músicos en el pequeño escenario estaban haraganeando entre ellos, haciendo payasadas y riendo. Usmaíl estaba en otro mundo, durmiendo en su cochecito junto a Doña Flores, que estaba sentada en una mesa enfrente.

Poco después.

Toda clase de ruidos, movidas, toses, el barman sirviendo los últimos tragos, y luego un silencio calmo.

Salvador se acercó resuelto al piano y se sentó frente al teclado. Tras un movimiento callado, con una suave firmeza, sus dedos recorrieron las teclas. Taína se paró sola frente a un viejo micrófono. Una luz húmeda que se colaba por la ventana enmarcaba el adorable rostro de Taína. Al brotar la primera nota baja y melancólica, un formidable silencio invadió el café, como la primera gota antes de la lluvia. Taína comenzó a cantar las palabras tristes cuyo llanto estaba sepultado dentro de una melodía. Una canción que habíamos oído toda la vida, con la que crecimos, pero fue solo a través de su voz que comenzamos a entenderla.

La canción de Taína revelaba que sufrimos porque no nos rendimos al amor de cada uno. Cuando besamos, pretendemos emocionarnos, pero es más un sentido del deber. Taína cantaba que, como los niños, como los libros, el amor se ha convertido en el polvo del mundo. Y cuando su voz canturreaba dulcemente que todos los besos que no dimos algún día serán dados, ahí fue cuando supe que todos en Carlito's Café estaban viendo a quien amaban. Eran los muertos que todos amaban. Eran los muertos que todos extrañaban. En los ojos de la gente estaban las imágenes de los rostros que alguna vez sostuvieron sus manos, los que intercambiaron votos, cambiaron sus pañales y su ropa o simplemente vieron sus primeras sonrisas y sus primeros pasos, pero ya no vivían. "El amor no es un prisionero del tiempo", cantaba la voz de Taína. El amor no reconoce a la muerte, no está bajo su autoridad. Su voz cantaba que el río que fluye imparable no es el tiempo, sino el amor. Taína estaba tirando todo al fuego, para que se consumiera totalmente y, de esa forma, viviera para siempre. Ella estaba en calma, sosegada, más madura y, cuando su voz se hacía más profunda, más intensa, remontaba el vuelo y llenaba el aire con un intenso sentido de triunfo, todos empezaban a llorar. Su voz contenía todos nuestros sufrimientos, todos nuestros fracasos y todas nuestras alegrías.

Vi a Salvador Negrón, el Vejigante, el Capeman, el líder de los Vampires, el hombre que, al igual que los fragmentos destrozados de vidrio en un caleidoscopio, había reaparecido con rostros nuevos, pero siempre tristes, agobiados por la culpa y el sufrimiento. Ahora se transfiguraba en el de un muchacho de 16 años. Tocaba las teclas del piano con un arrobo sutil, como si los muertos estuvieran susurrando en su oído que todo estaba bien, que ellos entendían.

El pecho de Doña Flores estaba inflado como un pavorreal. Esta era también su voz. Era Taína ofreciendo todos los besos que Doña Flores nunca tuvo la oportunidad de dar. Su hija llenaba otra vez de aire sus pulmones de cantante. Como aquella noche hace años en Orchestra Records, este era el puente que Inelda Flores comenzó a construir y ahora su hija lo terminaba para que todos pudiéramos cruzar.

En la voz de Taína yo vi a quién yo amaba y quién me amaba, pero no era Taína. A quien vi fue a mi madre. Vi sus sueños y vi también los sueños de mi padre. Estaban pisoteados e inconclusos. Sus manos y sus pies estaban callosos por las piedras que habían empujado y las piedras sobre las que habían caminado. La voz de Taína me decía que mis padres no se habían dado por vencidos; esos sueños eran su legado. Yo tenía que continuar empujando la roca, y los hijos de mis hijos lo harían también.

Y, cuando Taína echó hacia atrás la cabeza, respiró hondo, cerró los ojos y sostuvo una nota que parecía que no terminaría hasta la Segunda Venida, todos se quedaron sin aliento, como cuando algo es tan increíble, tan milagroso que no puede ser verdad. Luego, su voz se meció lentamente de un lado a otro hasta volver a la tierra. Si un cisne pudiera ser aún más de lo que ya es, eso sería Taína.

Gradualmente, el piano enmudeció. Salvador estaba exhausto y tomó agua. Cojeó hasta una silla. Tambaleándose y balanceándose pudo sentarse con vacilación. El viejo sonreía como si pensara que si moría esta noche, se iría con música. Taína tomó agua, revisó a Usmaíl en su cochecito. Todos sus átomos rebeldes en su tierno cuerpecito estaban en calma y dormidos. Nada podría despertarlos. Habían viajado y descansaban. Junto al coche, estaba la abuela de Usmaíl, feliz y animada, cantando de nuevo a través de su hija.

Salvador abandonó el escenario y, poco después, las congas resonaron hasta llenar lentamente el vacío dejado por el piano. Las manos de los congueros empezaron a aporrear los tambores. Taína le dio un beso de buenas noches a su hijita dormida y se les unió a los músicos en el escenario. Comenzó a bailar música jíbara, afrocubana, plena, bomba, de raíces santeras. Sus manos se movían hacia afuera y adelante, sincronizadas con sus caderas; sus ojos miraban al cielo. El ritmo de las congas aceleró para coincidir con los bamboleos y los asistentes abrieron los ojos y empezaron a moverse. Empezaron a batir palmas, a zapatear, a despertar los muslos. Cuando se unieron dos trompetas, dos saxofones, el trombón, el contrabajo, el timbalero y dos cuatros, era la señal para que la voz de Taína se transformara en *le-lo-lai*. La presión arterial subió, la temperatura se disparó.

María Magdalena, María Magdalena / Le dijo a Jesús / déjame morir por ti / en esa cruz.

Carlito's Café se estremeció como si todo el planeta estuviera temblando. Desde afuera, algunos *yuppies* debieron haber oído a Taína cantar, porque de pronto el café se llenó de montones de colchonetas de Yoga. Los *yuppies* se sacudían, rozaban entre sí sus ropas de hípsters sudadas.

Hija de la humanida' / De la luz la mano diestra /De apóstoles maestra.

Las paredes del Carlito's Café estaban a punto de derrumbarse. El lugar estaba tan abarrotado de gente que tuvieron que abrir puertas y ventanas. El aire acondicionado no pintaba nada allí esa noche y el frío se evaporada con rapidez en el verano húmedo que circulaba y se arremolinaba alrededor de los cuerpos calientes. Un espeso viento de generosidad giraba alrededor del público. Algunos se zarandeaban tan rápido que no paraban hasta que algo dentro de ellos les decía que se desmayaran; se caían y otros los recogían y les daban agua. La voz de Taína subía y se filtraba, calando nuestras células. Entonces, cinco mujeres, vestidas todas de blanco y con panderos, se pusieron al lado de Taína. Cantaron, pero la voz de Taína rápidamente ahogó las de ellas y supieron que su lugar era de acompañamiento como coro de santeras. Sin esforzarse, la melodía agarró velocidad, como si la voz de Taína llevara de la mano a la banda y le dijera que corriera con ella. Le decía a la gente que la siguiera. Su voz nos decía a todos que éramos libres y que ella necesitaba que corriéramos con ella para ella también poder ser libre.

Taína hacía que la banda reaccionara a sus improvisaciones y luego, con los ojos cerrados y su cuerpo meciéndose como el Brooklyn Bridge, Taína llevó a la banda a un lugar que solo ella conocía. Y todos la siguieron.

Miré por la ventana.

Vi a Peta Ponce. Sus pies parecían los de una marioneta moviéndose para arriba y para abajo, como si tuviera hilos atados a sus articulaciones y una mano invisible la controlara desde arriba. El baile de la espiritista tenía esa insoportable gracia torpe, mientras El Barrio se atestaba de personas de todos los colores, orientaciones sexuales, géneros y niveles económicos. La columna vertebral, la espina dorsal del mundo, su cordillera, el continente latinoamericano estaba representado en las calles, sosteniendo los huesos de todos los grupos de latinos, ofreciendo un esqueleto saludable de posibilidades. Los conquistadores también estaban allí. Yo vi españoles con su bandera, mientras abrían botellas de vino y sacaban quesos y pan que compartían con todos.

Los niños ocuparon las aceras con tizas y pintura. Los hombres bailaban con hombres, las mujeres bailaban unas con otras y, algunas veces, intercambiaban parejas. Una patrulla de la policía apareció. Un policía joven se bajó con la Srta. Cahill. Se contonearon, se sacudieron, vibraron, se menearon y las bocas de incendio de la cuadra no resistieron. Con sus rostros sonrientes, las personas extendían los brazos y disfrutaban la rociada. Del cielo seguía cayendo fuego, a medida que se intensificaba la lluvia de meteoritos, como si quisiera incendiar la luna hasta convertirla en un nuevo sol. Las escaleras de incendio estaban repletas de ropa secándose y de cuerpos que sentían que tenían alas y podían volar por encima de los proyectos. Esa noche, cuando Taína cantó, nadie tenía deudas en sus tarjetas de crédito, nadie tenía que pagar la renta, nadie tenía enfermedades ni imperfecciones, nadie conocía el significado de las palabras tristes. Todos habían recibido su paga justa. Todos eran jóvenes. Todos habían construido escaleras a las estrellas. Todos hacían por otros lo que querían que hicieran por ellos. Todos estaban enamorados. Todos vieron quiénes los amaban. Todos recibieron el perdón.